Heidi Schilling

Ausgestoßen in der Wüste

bibellesebund

Verlag Bibellesebund Marienheide

clv

Christliche Literatur-Verbreitung Bielefeld

1. Auflage 2012

Umschlaggestaltung: Georg Design, Münster
Umschlagfoto: Shutterstock
Satz: CLV
Druck und Bindung: CPI – Ebner & Spiegel, Ulm

ISBN 978-3-87982-980-4 (Bibellesebund)
ISBN 978-3-86699-145-3 (CLV)

Inhalt

Das Urteil

»Es tut mir leid, Joel! Es tut mir wirklich von Herzen leid, aber es hat sich vergrößert! Du weißt, was das bedeutet. Wir müssen tun, was das Gesetz vorschreibt.«

Ja, Joel wusste es.

Seit vielen Tagen konnte er an nichts anderes mehr denken. Zuerst hatte er gehofft, der Fleck auf seiner Haut würde so verschwinden, wie er gekommen war. Aber das tat er nicht. Seitlich am Hals, unter dem Kinn, da war er und da blieb er. Zuerst hatte Joel versucht, ihn zu verstecken. Aber das war schwierig an dieser Stelle. Es schmerzte nicht, das war ja gerade so verdächtig. Zuerst hatte seine Mutter ihn entdeckt, aber sie hatte geschwiegen. Dennoch schlich sich das schreckliche Wort als ungebetener Gast in ihre Familie: Aussatz! Es war wie ein Gespenst einfach eines Tages da und ließ sich nicht mehr vertreiben. Dann hatte Joels Vater, der ein Rabbi war, den Fleck gesehen. Joel schauderte, wenn er daran dachte. Diese strengen Augen, die unaufhörlich dieselbe Stelle an seinem Hals fixierten! Streng und traurig zugleich. »Du musst dich dem Priester zeigen!«, hatte er gesagt.

»Es wird bestimmt wieder verschwinden«, wollte Joel beschwichtigen. Aber sein Vater war unerbittlich.

Man hatte den Fleck genau gemessen und untersucht. »Nun müssen wir warten«, hatte der Priester gesagt. »In zwei Wochen ist er vielleicht größer, vielleicht auch kleiner. Dann sehen wir weiter.«

Oh, diese zwei schrecklichen Wochen! Er hatte gebetet, er hatte Opfer gebracht und immer wieder die Stelle am Hals befühlt. Er hatte vor Verzweiflung Grasbüschel ausgerissen, Steine in ohnmächtiger Wut fortgeschleudert, sich versteckt und war stundenlang gelaufen. Er hatte heimlich mitten in der Nacht im Fluss gebadet. Wäre doch nur ein Wunder geschehen!

Aber nein, nun war alles aus!

»Wir müssen tun, was das Gesetz vorschreibt.« Das war das Urteil. Joel hatte es erwartet. Trotzig stand er auf. *Nur jetzt nicht schwach werden*, dachte er. Weinen konnte er später.

»Somit bist du nun unrein«, erklärte der Priester. »Du darfst kein Haus mehr betreten, auch nicht dein Elternhaus, es würde sonst ebenfalls unrein. Ich werde mit deinen Eltern sprechen. Geh nun zu den anderen Aussätzigen außerhalb der Stadt! Gemeinsam könnt ihr euer Schicksal besser tragen. Wie sie sollst auch du nun zerrissene Kleider tragen. Das Gesetz verlangt es so. Du darfst nie weniger als zwei Meter Abstand zwischen dir und anderen Menschen haben und du musst deinen Mund mit einem Tuch bedecken!«

Während dieser langen Rede hatte Joel zu Boden geschaut. Nun sah er dem Priester direkt in die Augen. »Ist das alles?«, fragte er.

Dem Priester fiel es sichtlich schwer, weiterzusprechen. Doch dann sagte er: »Wenn du dich in die Nähe von gesunden Menschen begibst, bist du verpflichtet zu rufen: ›Unrein! Unrein!‹ Das Gesetz, du weißt doch!«

»Ist das nun alles?«, fragte Joel wieder.

»Nein, noch nicht. Vielleicht gefällt es dem Höchsten, dich gesund zu machen. Vielleicht merkst du eines Tages, dass der Fleck verschwunden ist. Dann komm wieder her und zeige dich!«

»Vielleicht, vielleicht, vielleicht …«, stöhnte Joel, drehte sich abrupt um und ließ den Priester stehen, der ihm besorgt nachsah.

Ausgestoßen

Das Stadttor hatte Joel hinter sich gelassen. Den Menschen war er aus dem Weg gegangen. Nun saß er an den Stamm eines Ölbaums gelehnt – allein. Er war jetzt ein Ausgestoßener, wie ein abgeschnittener Zweig. Das Verdorren hatte schon begonnen. Er fühlte sich kräftig, hatte keine Schmerzen – und war doch lebendig tot. Der Schmerz in seinem Innern wollte ihn zerreißen. Als er es nicht mehr aushielt, fasste er in den Ausschnitt seines Gewandes und zerriss es.

»So will es das Gesetz.« Diesen Satz würde er nun nie mehr loswerden. In zerrissenen Kleidern gehen, den Mund verhüllen und »Unrein! Unrein!« rufen. Das war nun sein Schicksal. Dabei war er ein gut aussehender Junge. Und Ruth? Was sollte nun werden mit Ruth?

Joel und Ruth waren einander versprochen seit ihren Kindertagen. Heiraten konnten sie noch nicht. Sie waren beide noch zu jung. Sie kannten sich kaum. Die Eltern hatten für sie entschieden. Ab und zu hatte er sie in der Synagoge gesehen, zusammen mit ihrer Mutter. Sie gefiel ihm. Er hatte sich auf sie gefreut, er fand sie sehr hübsch.

Aber jetzt? Kein Vater würde seine Tochter einem Aussätzigen geben.

»Oh du Mächtiger da oben! Was tust du mir an?« Joel sprang auf, ergriff einen Stein und holte weit aus, um ihn gegen den Himmel zu schleudern.

»Lass das, es nützt dir nichts!«

Joel erschrak. Er hatte geglaubt, er wäre allein. Aber da war ein Mann gekommen, der ihn am Arm packte und ihm den Stein aus der Hand nahm.

»Lass das«, sagte der Mann nochmals ganz ruhig. »Was du brauchst, ist seine Gnade, nicht seinen Zorn. Komm mit mir!«

Joel folgte dem Mann. Auch der trug zerrissene Kleider, hatte lange herunterhängende Haare und sein Bart war verhüllt. Joel wusste: Das war Jakob, der Aussätzige, der sich draußen vor der Stadt eine kleine Hütte gebaut hatte und dort auch ein paar Schafe hielt. Er war viel älter als Joel. Er hätte gut sein Vater sein können. Ein schmaler Fußweg führte zu Jakobs Unterkunft.

»Willkommen in meinem Palast«, sagte er, indem er die Tür mit dem Fuß aufstieß. »So, so, hat es dich also auch erwischt!« Das war keine Frage, nur eine Feststellung. Er nahm einen Eimer vom Haken, drückte ihn Joel in die Hand und meinte: »Du könntest Wasser holen. Hinter dem Haus gibt es eine Zisterne!«

Joel staunte. Da hatte sich dieser Ausgestoßene so etwas wie ein kleines Heim eingerichtet und sogar einen Brunnen gegraben. Es gab also doch noch ein Leben als Aussätziger. Nun wusste Joel wenigstens, wo er sich in der nächsten Nacht hinlegen konnte.

Er blieb allerdings nicht nur eine Nacht. Die beiden gewöhnten sich aneinander und teilten, was sie hatten.

Joels Mutter fand bald heraus, wo sich ihr Sohn befand, und brachte ihm gelegentlich ein Brot oder andere Nahrungsmittel. Als sie Joel einmal anfassen wollte, trat er zurück und schrie: »Unrein! Unrein!« Da zuckte seine Mutter zusammen und ging weinend davon. Seither wich Joel ihr aus. Sein eigenes Leid zu ertragen, war schwer genug. Er wollte nicht auch noch den Kummer seiner Mutter mit ansehen.

Ein Lamm für Joel

Was Joel in den folgenden Wochen erlebte, war sehr schmerzlich. Einmal war er durch die Stadt gegangen, immer mit dem vorgeschriebenen Abstand zu den Menschen. Einer seiner ehemaligen Spielkameraden hatte ihn erkannt und blieb stehen, um ihn neugierig zu mustern. Joel grüßte ihn mit einem freundlichen »Schalom« und hob die Hand, um ihm zu winken. Der andere aber bückte sich, nahm einen Stein auf und warf ihn nach Joel. Der Stein traf ihn nicht, aber dafür war der Schmerz in seinem Herzen umso größer.

Einmal war er über einen Platz gegangen, wo ein Gemüsehändler seine Waren verkaufte. Plötzlich hörte er hinter sich einen heftigen Streit. Er blieb stehen, um zu hören, worum es ging.

»Was bildest du dir eigentlich ein«, brüllte einer den Händler an. »Von deinen Zwiebeln kaufe ich keine. Da ist ein Unreiner dran vorbeigegangen. Iss du deine Dreckzwiebeln selber!«

So war das also! Jeder Straßenköter war eher geduldet als er, der einst so beliebte Joel. Und das nur wegen des dummen Flecks an seinem Hals. Der war allerdings weiter gewachsen und an der Oberfläche weiß geworden. Jetzt war Joel froh um das Tuch, mit dem er ihn zudecken konnte. Aber das Schlimmste kam nach ein paar Monaten. Seine Mutter brachte ihm frisch gebackene Fladenbrote, aber gleichzeitig auch eine schlechte Nachricht.

»Ich weiß nicht, wie ich es dir sagen soll«, begann sie, »und doch glaube ich, dass du es wissen solltest. Die Eltern von Ruth haben die Geschenke zurückbringen lassen.«

Joel wusste, was das bedeutete. Er nickte nur und verschwand in Jakobs Hütte. Alles, alles wurde ihm genommen, nun auch die versprochene Braut. Er hatte es erwartet, aber doch noch auf ein Wunder gehofft. Jetzt war auch dieses letzte Licht in seinem Herzen erloschen.

Sehr nachdenklich saß er nun in der dunklen Hütte.

Draußen blökte eines von Jakobs Schafen. Immer wieder, ohne aufzuhören. Was hatte es nur?

Joel ging hin, um nachzusehen. Er musste nicht lange suchen. In einer Mulde lag eines der Mutterschafe und hob erschöpft den Kopf. Und daneben, dicht daneben, versuchte ein kleines neugeborenes Lamm aufzustehen. Gebannt schaute Joel zu. Das Kleine hielt sich nun auf zittrigen Beinen und stupste seine Mutter an. Diese erhob sich wie neu belebt und drängte das Lamm an ihr Euter, damit es trinken konnte.

»Ein schönes Böcklein«, bemerkte Jakob, der auch dazugekommen war, »ich schenke es dir!« Da kam zum ersten Mal seit seinem Einzug bei Jakob ein Leuchten auf Joels Gesicht.

»Hey Kleines!«, flüsterte er und berührte das Lämmchen vorsichtig. Es war noch nass und so beschäftigt mit Saugen, dass es den Menschen keine Beachtung schenkte. Joel lächelte. Jetzt gehörte ihm ein Lebewesen, das ihn nicht verachtete. Er wollte dafür sorgen, dass es ihn kennenlernte. An diesem Abend war er noch lange draußen. So glücklich war er schon lange nicht mehr.

Der Mann im seltsamen Mantel

Nun war Joel beschäftigt. Er verbrachte seine Tage bei den Schafen. Von seiner Mutter hatte er sich etwas Salz bringen lassen. Damit war es leicht, das Vertrauen des Mutterschafs zu gewinnen. Und wo die Schafmutter war, da war auch das kleine Lamm. Es wurde immer schöner. Mittlerweile kannte es Joels Stimme und kam herbei, wenn er rief. Es kam vor, dass alle drei – Joel, das Mutterschaf und das Lämmchen – dicht beieinander im Schatten eines großen Steines lagen und schliefen. Darüber freute sich Jakob. Er hatte den Jungen lieb gewonnen. Für ihn zu sorgen, tat ihm gut.

Doch Jakob hatte sich seit einiger Zeit sehr verändert. Er blieb oft tagelang weg, und wenn er da war, wirkte er sehr nachdenklich. Er redete auch unverständliches Zeug vom Propheten Elia und von einem Mantel. Joel gefiel das nicht, und am liebsten hätte er sich einen anderen Platz gesucht. Aber sein Lamm wollte er auf keinen Fall verlassen. Darum blieb er.

Eines Abends war es wieder ganz schlimm.

Jakob saß vor dem Feuer, auf dem die Suppe im Topf kochte. Wieder redete er wie zu sich selbst: »Die Axt ist schon den Bäumen an die Wurzel gelegt und jeder Baum, der nicht gute Frucht bringt …«

»Nun hör doch endlich auf«, unterbrach ihn Joel ungeduldig. »Kein Mensch versteht, was du da redest! Wer setzt dir eigentlich diese Flausen in den Kopf? Du gehst doch nicht etwa in die Synagoge?«

»O nein, da dürfen wir doch nicht hin!« Nachdenklich schüttelte Jakob den Kopf. »Nein, in der Synagoge habe ich so etwas nie gehört.«

»Wo hörst du es denn, wenn nicht dort?« Joels Neugierde war geweckt.

»Du musst morgen mitkommen und ihn selber sehen und hören!«

»Mitkommen? Wohin? Und wer ist ›Er‹?«

»Man nennt ihn ›den Täufer‹. Er ist leicht zu finden, das Volk läuft in Scharen zu ihm.«

»Dann sind wir dort gar nicht erwünscht«, widersprach Joel.

»Auch wenn wir nur relativ weit weg stehen, werden wir ihn gut hören. Er hat eine gewaltige Stimme. Er sagt, er sei ein Rufer in der Wüste.«

So etwas Seltsames! Joel beschloss, sich am nächsten Tag Jakob anzuschließen, um mit eigenen Augen zu sehen, was da los war.

Am nächsten Morgen machten sich die beiden auf den Weg. Jakob kannte Pfade, die sonst nur von Schafen und Ziegen benutzt wurden. So brauchten sie sich nicht den vielen Menschen zu nähern, die auf dem großen Weg gingen. Es war wirklich so, wie Jakob erzählt hatte. Die ganze Stadt schien unterwegs zu sein. Joel fühlte sich nicht sehr behaglich. Den ganzen Tag zu rufen: »Unrein! Unrein!« – das gefiel ihm nicht.

Nun näherten sie sich einer Stelle, wo viel Grünes wuchs. Schon konnte man den Fluss sehen, dessen Wasser sich da wie in einem Becken sammelte. Das Ufer war völlig bedeckt mit Menschen, und immer noch drängten mehr herbei.

Jakob zeigte auf eine etwas erhöhte, steinige Stelle.

»Dort oben setze ich mich immer hin. Dahin kommt keiner, und man kann alles hören und sehen.«

Sie kletterten hinauf. Joel legte sich auf den Bauch und robbte bis an den Rand des Felsens. Was für ein Ausblick!

Das war ja ein fantastischer Beobachtungsposten! Jakob hatte wieder einmal eine gute Spürnase gehabt. Joel nickte anerkennend und konzentrierte sich dann auf das Geschehen unten am Wasser. Er entdeckte einige Gelehrte, die in einen Wortstreit verwickelt schienen.

Und dann sah er ihn.

Der Mann stand halb im Wasser. Er sah wirklich seltsam aus. Sein Gesicht war braun gebrannt wie Leder. Bekleidet war er mit einem grob gewebten Kamelhaar-Mantel. Mit erhobenem Arm rief er in die Menge: »Tut Buße, kehrt um von euren bösen Taten und bereitet dem Herrn den Weg!«

Einige Soldaten fragten ihn: »Was sollen wir denn tun?«

»Plagt die Menschen nicht, nehmt ihnen nicht weg, was euch nicht gehört, ihr habt ja euren Lohn!« So lautete die Antwort des Mannes, den sie ›Täufer‹ nannten.

Dann sah Joel mit Staunen, dass viele zu ihm ins Wasser gingen und sich untertauchen ließen. Es waren sogar einige von den Gelehrten dabei.

Der Täufer hob mahnend die Hand: »Passt auf, dass eure Umkehr echt ist. Lebt so, wie es Gott gefällt! Ich taufe euch nur mit Wasser. Aber es wird einer kommen, der ist stärker als ich. Macht euch bereit.«

Nun schrien viele Stimmen durcheinander: »Wer bist du denn?« »Bist du Elia?« »Oder bist du sogar der Messias?«

Gespannt wartete auch Joel auf die Antwort des Täufers. Er hörte ihn sagen: »Ich bin es nicht. Ich bin nur die Stimme eines Rufers in der Wüste. Bereitet dem Herrn den Weg!«

Unterdessen war es sehr heiß geworden. Allmählich zerstreuten sich die vielen Menschen. »Lass uns gehen!«, sagte nun auch Jakob.

Joel schaute noch immer dem Täufer nach, der zusammen mit einigen Männern wegging. »Das sind seine Freunde«, erklärte Jakob. »Sie sind immer da, wo er gerade ist.«

Die beiden Aussätzigen warteten, bis der Weg frei von Menschen war, sodass sie ungehindert heimkehren konnten.

»Hast du seinen Mantel gesehen?«, fragte Jakob unvermittelt.

»Warum ist dir eigentlich sein Mantel so wichtig?«, wollte Joel nun wissen.

»Es ist ein Prophetenmantel. Elia hat auch so einen getragen.«

»Dann glaubst du also auch, dass er ein Prophet ist?«

»Weißt du nicht, Joel, dass die Heilige Schrift vom Kommen des Messias spricht?«

»Natürlich weiß ich das. Was hat das aber mit dem Täufer zu tun?«

»Die Schrift sagt, dass Elia vor ihm hergehen müsse.«

Joels Gedanken wirbelten durcheinander.

»Du glaubst doch nicht etwa …?«

»Ich weiß es nicht, Joel, ich weiß es wirklich nicht.«

Ein anderes Lamm

Am nächsten Tag fühlte Jakob sich nicht wohl. Das viele Wandern unter der heißen Sonne hatte ihn müde gemacht. Joel hingegen war schon früh unterwegs. Sein Ziel war das gleiche wie am Tag vorher. Er war Jakob dankbar für den guten Platz auf dem Felsen, denn dort, wo Aussätzige gesessen hatten, ließ sich lange Zeit niemand sonst nieder.

So schaute er zufrieden auf das Gewimmel am Fluss und fühlte sich für dieses Mal im Vorteil. Wieder ließen sich viele Menschen untertauchen. Einige kannte Joel. Zum Beispiel den listigen Händler vom Fleischmarkt, bei dem man nie recht wusste, ob seine Gewichte stimmten. Oder der durchtriebene Zöllner, der immer mehr Geld verlangte, als üblich war. Wollten die wirklich umkehren und bessere Menschen werden?

Und da! War das nicht …? Ja, er war es, ganz bestimmt! Der Bart, sein leicht hinkender Gang, sein besonderes Kleid! Niemand sonst trug ein solches Gewand!

Ohne Zweifel, das war der Vater von Ruth.

Was wollte denn der hier? Noch zwei Schritte, dann war es um sein Kleid geschehen. Das Ufer war ziemlich aufgeweicht.

Joels Herz klopfte bis zum Hals. Er wurde Zeuge von einer Taufe, mit der er keinesfalls gerechnet hatte.

»Auch der! Er, der mich so verletzt hat«, stöhnte Joel. »Ich hasse ihn, ich hasse sie alle, die Heuchler! Sie wollen das Himmelreich, und zu ihnen wird es wohl auch kommen. Nur wir stehen draußen. Wir, Leute wie Jakob und ich, die keinem Menschen ein Haar krümmen. Ist das gerecht?«

Joel wollte nun weg, weit weg von den Menschen, zu denen er nicht gehören durfte. Er wollte gerade schon »Unrein! Unrein!« rufen, um sich einen freien Weg zu bahnen, als ihn der Blick eines Mannes traf, der wenig unterhalb seines Felsens stand. Joel kannte ihn nicht. Er hatte ihn noch nie gesehen. Aber der Mann schien ihn zu kennen, und es war, als stünde die Zeit einen Augenblick lang still.

Joel zog sich auf seinen Platz zurück und war ganz verwirrt.

Auch der Täufer hatte den Kopf gewandt und schaute in seine Richtung. Was war denn nur los? Hatte Joel sich falsch verhalten?

Der Fremde verließ nun seinen Platz und ging auf den Täufer zu. Dieser war aus dem Wasser gestiegen und schien auf den Mann zu warten. Plötzlich erhellte sich sein Gesicht, und mit lauter Stimme rief er: »Er ist's! Er ist der, der nach mir kommen soll und doch schon vor mir war! Seht, das ist Gottes Lamm, welches die Schuld der Welt trägt!«

Nicht nur Joel, alle schauten nun auf die beiden Männer. Was sie sprachen, konnte man auf dem Felsen nicht hören. Sie konnten nur sehen, dass der Täufer heftig den Kopf schüttelte. Doch dann gingen sie zusammen ins Wasser, und der Fremde ließ sich untertauchen, wie all die anderen vor ihm. Er stand im Fluss und schien zu beten.

Was danach geschah, konnte Joel später nie richtig erzählen. Auch wenn Jakob ihn immer wieder danach fragte, sagte er nur: »Es war einfach, als käme etwas vom Himmel direkt auf den Mann herab, und dann hörte man eine Stimme.«

Lange Zeit blieb Joel auf seinem Felsen sitzen. Er war tief aufgewühlt und wusste doch nicht, warum. Er sah den Fremden weggehen und nach und nach auch all die anderen Menschen. Später, in der Hütte, legte er sich auf sein Lager, ohne nach Jakob zu fragen, selbst ohne nach seinem Lamm zu sehen. Seine Gedanken drehten sich um einen, dem er nur kurz begegnet und der ›Lamm Gottes‹ genannt worden war – und den er vielleicht nie wieder sehen würde.

Sie will ihn nicht

Joel ging nun jeden Tag zu der Stelle am Fluss, wo der Täufer Menschen untertauchte. Aber den, den er suchte, fand er dort nicht mehr.

Jeden Tag saß er auf seinem Platz und wartete auf den Mann, den er nicht vergessen konnte. Joel sehnte sich danach, dass dieser Mann ihm irgendwie helfen konnte. Aber er kam nicht mehr. Ach, dass er immer noch nicht gelernt hatte, sich keine Hoffnungen mehr zu machen!

Sein Aussatz war schlimmer geworden. Der Hautausschlag hatte sich bereits bis zum Ohr hinauf ausgebreitet, und am Oberarm bildete sich ein neuer Fleck. Jakob wurde immer schwächer und sprach oft vom Sterben. Er schien sich sogar danach zu sehnen.

Das Lamm wurde größer, aber Joel verlor mit der Zeit sogar an ihm die Freude. *Es bringt doch alles nichts,* sagte er sich. *Was soll einer wie ich mit einem Schaf?* Ab und zu brachte seine Mutter Neuigkeiten aus der Stadt. Wenigstens sie vergaß ihn nicht.

Eines Tages fragte Joel nach Ruth: »Ist sie schon einem anderen Mann versprochen?« Die Mutter zögerte. Dann aber erzählte sie, dass Salma für seinen Sohn Nathanael den Brautwerber zu Ruths Vater geschickt habe. Ausgerechnet Nathanael! Das war der Junge, der mit Steinen nach Joel geworfen hatte. Ausgerechnet Nathanael!

Eines Tages, dachte Joel, *werde ich es sein, der Steine wirft, und ich werde bestimmt das Ziel nicht verfehlen.*

So wuchs in seinem Herzen mehr und mehr der Hass – und auf seiner Haut der Aussatz. Besorgt sah Jakob, wie Joel sich veränderte. Er hätte ihm so gerne geholfen, aber ihm fehlte die Kraft dazu. Er selber war alt. Für sich hatte er keine Wünsche mehr. Aber für den Jungen!

Joel hatte sich angewöhnt, durch die Gegend zu streifen. Er wanderte, bis er vor Müdigkeit nicht mehr konnte. Es war ihm jetzt sogar egal, wem er begegnete. Immer wenn jemand daherkam, stellte er sich abseits des Weges hin und ließ die Leute vorbeigehen, indem er den nötigen Abstand einhielt.

Eines Tages sah er ein Mädchen kommen, das einen Esel vor sich hertrieb. Erst aus der Nähe erkannte er sie. Es war Ruth.

Der Esel war beladen mit einem Stoffballen. Joel wäre am liebsten in der Erde versunken, aber es war zu spät für einen Rückzug. In seiner Verlegenheit begann er »Unrein! Unrein!« zu rufen.

Zuerst sah es aus, als wolle Ruth fliehen. Dann aber blieb sie stehen und grüßte ihn.

»Schalom, du hast mich erschreckt«, sagte sie und sah zu Boden. Sie war genauso verlegen wie er. *Wie hübsch sie ist,* dachte Joel und zog sein Tuch tiefer ins Gesicht.

»Wird daraus dein Hochzeitskleid?«, fragte er und zeigte auf den Stoffballen. Eine unverschämte Frage! Joel wusste das, aber irgendetwas drängte ihn, Ruth aus der Fassung zu bringen.

Sie aber fragte ruhig zurück: »Wieso Hochzeitskleid? Das ist Stoff, den meine Mutter gewebt hat. Ich bringe ihn zum Tuchhändler.«

Joel blieb hartnäckig. »Ich habe gehört, dass du Nathanael heiraten wirst?«

»Ich werde überhaupt noch nicht heiraten, und Nathanael schon gar nicht«, gab sie gereizt zurück. Dann gab sie dem Esel einen Klaps und machte sich davon.

Joel musste sich setzen. Dass Ruth auf seine unverschämte Frage überhaupt geantwortet hatte, war schon erstaunlich. Aber was sie geantwortet hatte, warf ihn regelrecht um!

Sie wollte Nathanael nicht! Sie wollte ihn wirklich nicht! Ganz beschwingt lief Joel nach Hause und vergaß für einen kurzen Moment, dass sie ihn, den Aussätzigen, natürlich ebenso wenig heiraten würde.

Gerüchte

Nach wenigen Wochen kam der Tag, an dem Jakob nicht mehr aufstehen konnte, und in der folgenden Nacht hörte er auf zu atmen. Er starb, wie er gelebt hatte, still und ohne Klage. Joel war sein Erbe. Ihm gehörte nun die baufällige Hütte, und auch die Schafe waren nun sein Eigentum. Der Brunnen und die Kochstelle, alles war da. Doch noch nie zuvor war Joel alles so ärmlich vorgekommen, so düster und trostlos. Jakob hatte doch alles ein wenig heller gemacht mit seiner Güte.

Diese Güte und Gelassenheit hatte Joel leider nicht geerbt. Unruhe und Verzweiflung waren seine ständigen Begleiter. Er nahm sie mit auf seine Wanderungen und trug sie abends wieder mit zurück nach Hause.

Es gab Tage, an denen er kaum einem Menschen begegnete. Das war ihm recht, doch er litt unter der Einsamkeit. Besonders am Sabbat, da durfte man nicht weit gehen, auch kein Feuer machen und kein Wasser tragen. In der Synagoge durfte er sich schon gar nicht zeigen, und ein Besuch seiner Mutter war an diesem Tag auch nicht zu erwarten.

Wenn sie während der Woche kam, brachte sie meistens Brot und Früchte und ein paar Neuigkeiten mit.

Einmal war sie ganz aufgeregt und erzählte: »Du kennst doch die Lea, unsere Nachbarin mit dem krummen Rücken? Stell dir vor, nun geht sie aufrecht und gerade! Man kennt sie nicht mehr. Sie trägt ihren Wasserkrug auf dem Kopf wie eine junge Frau.«

»Wie ist das passiert?«, wunderte sich Joel.

»Ein fremder Rabbi hat am Sabbat in der Synagoge gelehrt. Als er Lea sah, hat er seine Hände auf sie gelegt und sie gesund gemacht.«

»Am Sabbat?«

»Ja, das hat die Obersten geärgert. Da hat er sie ›Heuchler‹ genannt. Ich glaube, sie haben sich geschämt. Lea hat voller Freude Gott gepriesen.«

›Heuchler‹ hatte er sie genannt? Das weckte bei Joel Erinnerungen an sein Erlebnis am Fluss. Darum fragte er: »Könnte das vielleicht der Täufer gewesen sein?«

»Das glaube ich nicht«, sagte seine Mutter. »Ich habe gehört, der sei im Gefängnis.«

Joel erschrak. Der Täufer war im Gefängnis? Was, wenn sie auch den Rabbi einsperren würden? Er musste unbedingt wissen, wo er diesen Rabbi finden konnte!

»Mal da, mal dort. Er kommt und geht.«

Das war alles, was seine Mutter sagen konnte. Sie erzählte aber noch, dass der Blinde aus der nächsten Stadt wie ein Gesunder sehen könne, seit er dem Rabbi begegnet sei, und man höre noch von anderen, die er gesund gemacht habe.

Ob diese Gerüchte wohl stimmten? Das mit Lea musste schon wahr sein. Das hatte seine Mutter nicht nur vom Hörensagen.

Joel dachte nun fast Tag und Nacht an diese Dinge. Ihm wurde aber auch klar: Wenn Menschen durch das Auflegen der Hände geheilt wurden, dann hatte er keine Chance. Er durfte ja keinem Menschen so nahe kommen.

Trotzdem versuchte er immer wieder, etwas über den Rabbi zu erfahren, und das war gar nicht so schwer. Man sprach überall von ihm, viel Gutes, aber auch Böses. Und so erfuhr Joel eines Tages auch seinen Namen. Er hieß Jesus.

Es wäre gar nicht schwer gewesen, ihn zu finden. Man hätte sich nur den Menschen anschließen müssen, die ihm folgten. Das aber durfte Joel nicht. Er kam immer zu spät. Stets war der Rabbi schon weitergezogen oder in einem Haus eingekehrt, das Joel nicht betreten durfte.

Einmal jedoch sah er ihn vorüberziehen. Er war umgeben von Männern, von denen einige schon dem Täufer gefolgt waren. Joel war nicht nahe genug, um sein Gesicht zu sehen. Dennoch erkannte er ihn.

Er war es! Joel war sich ganz sicher. Das war er, ›das Lamm‹, wie der Täufer ihn genannt hatte.

Joel folgte von ferne. Je weiter er jedoch ging, umso mehr Leute kamen hinzu. Je öder die Gegend wurde, umso größer die Menge der Menschen. Joel ärgerte sich. Sicher hatte der Rabbi die Einsamkeit gesucht, um sich auszuruhen. Nun wurde er wieder so bedrängt.

Joel sah, wie er sich auf einem nahen Hügel niederließ. Der Strom von Menschen ließ nicht nach. Sie umlagerten den Mann – wie eine große Herde Schafe. Joel musste sich immer mehr zurückziehen, um den nötigen Abstand einzuhalten. Er war so nahe am Ziel und doch so weit entfernt.

Der Rabbi war inzwischen aufgestanden und predigte den Menschen. Auch er sprach vom Himmelreich. Joel verstand seine Worte nicht, der Wind trug sie nicht bis zu ihm.

Wieder einmal war er ausgeschlossen.

Er stand auch abseits, als die Menge sich setzte. Er sah, wie Brot ausgeteilt wurde. Ihm wurde kein Stück gereicht. Traurig ging er nach Hause.

Es hatte alles, alles keinen Sinn! Warum nur jagte er hinter etwas her, was nicht für ihn bestimmt war!

Er vermisste Jakob. Er hätte jetzt ein gutes Wort sehr nötig gehabt – etwas, was ihm ein kleines bisschen Hoffnung gegeben hätte.

Doch diese Hoffnung fand er am nächsten Tag, als er sie schon gar nicht mehr erwartete.

Wer ist er?

Joel langweilte sich. Was gab es denn noch für ihn zu tun? In der Hütte bleiben konnte er nicht. Dazu war er innerlich zu unruhig. Jakob konnte das, er hatte bei allem immer Frieden ausgestrahlt, obwohl sein Leben alles andere als schön war. Aber Joel war jung, und in seinem Herzen stürmte es.

Nur: Wo auch immer er hinging, überall begegnete er Menschen, die unterwegs waren, um den Rabbi zu hören. Man trug sogar Kranke auf den Schultern und auf Matten zu ihm hin, und Joel sah viele jubelnd und gesund heimkehren. Aber die waren ja auch nicht aussätzig.

Dennoch wurde Joel immer wieder wie von einem unsichtbaren Strom mitgespült, zwar immer abseits und in der nötigen Entfernung, aber doch dorthin, wo der Mann lehrte.

Einmal saß Joel an einen Stein gelehnt nicht weit von der Menschenmenge. Er sah einige Männer zögernd hinzukommen. Dann aber gingen sie direkt auf den Lehrer zu und unterbrachen seine Rede, um ihn etwas zu fragen. Joel wurde neugierig. Da schien etwas Merkwürdiges zu geschehen.

Vorsichtig schob er sich ein wenig näher, um wenigstens einige Worte aufzufangen. Er hörte den Rabbi sagen: »Geht nun zu ihm zurück und erzählt ihm, was ihr gesehen und gehört habt: Blinde sehen, Lahme gehen und Taube hören, Aussätzige werden rein und den Armen wird frohe Botschaft verkündet.«

Dann fuhr er fort zu reden und sprach zu den Leuten über den Täufer. Aber Joel hörte nicht mehr zu. Er hatte nur eines mitbekommen: »Aussätzige werden rein!«

Ihm wurde schwindlig. In seinem Kopf ging alles durcheinander. *Aussätzige werden rein, Aussätzige werden rein!*

Hatte er das richtig gehört? Und wie sollte das zugehen? Und galt das etwa auch für ihn?

Da war so etwas wie ein Strohhalm der Hoffnung, und Joel klammerte sich daran.

Nur: Wie konnte er an das Wunder herankommen? Er war ja unrein. Er durfte sich nicht einmal dem Gottesmann dort auf dem Hügel nähern.

Zwei Meter Abstand einhalten! *Irgendwie muss es gehen,* dachte Joel.

Warten! Ich werde warten und nicht aufgeben! In der Nähe des Weges setzte er sich hin und ließ den Rabbi nicht aus den Augen. Tat dieser einige Schritte, sprang Joel schon auf, weil er fürchtete, ihn zu verpassen.

Es wurde Abend. Nach und nach löste sich die Menge der Leute auf. Auch der Rabbi schien den Ort bald zu verlassen. Er ging nur langsam, denn noch immer war er von Menschen umringt.

Joel sah keine Möglichkeit, zu ihm vorzudringen. Die Gruppe näherte sich mehr und mehr dem Ort, wo Joel wartete. Der Rabbi inmitten von Menschen! Fast waren sie schon an ihm vorbei. Joel geriet in Panik. Diese Gelegenheit kam nie wieder!

Da stand der Rabbi still, und sein Blick traf Joel. Derselbe Blick wie damals am Fluss! Joel sprang auf. Nur hin zu ihm! Er vergaß alle Vorschriften, er schrie nicht »Unrein! Unrein!« Die Leute wichen erschrocken zurück.

Joel fiel vor dem Lehrer nieder, und wie ein Schrei brach es aus ihm heraus: »Herr, wenn du willst, kannst du mich rein machen, du kannst es!«

Da geschah etwas Unglaubliches.

Der Mann mit dem Namen Jesus streckte seine Hand aus und berührte Joel. Er berührte ihn, den Unreinen!

Seine Hand lag auf der kranken Stelle. Wie lange hatte Joel keine Berührung mehr gespürt! Und nun hörte er Jesus sagen: »Ich will es tun. Sei gereinigt!«

Das Himmelreich! Das Himmelreich ist zu mir gekommen, durchfuhr es Joel. Er war kaum fähig zu sprechen. Er stammelte nur: »Jesus, Jesus, mein Retter!«

»Nun geh und zeige dich dem Priester, damit deine Gesundheit vor allen bezeugt ist, und bringe die Opfer, die das Gesetz vorschreibt.«

Joel stand auf. War es wirklich kein Traum? Nein, Jesus stand immer noch vor ihm und sagte: »Ich möchte, dass du das keinem erzählst.«

Dann ging er weiter.

Langsam hob Joel die Hand und befühlte seinen Hals, sein Ohr, sein Kinn. Dann streifte er seinen Ärmel zurück und suchte den Fleck am Oberarm. Er fand ihn nicht. Er musste sich setzen.

Erst lange danach erhob er sich. Am Weg sah er die Überreste eines Feuers. Da hatten Kinder ihre Fische gebraten. Joel nahm sein Tuch, das ihm schon lange so vertraut war, ab und warf es auf die Glut. Erst schwelte es nur, dann flammte es auf und zerfiel.

Mit raschen Schritten ging Joel durchs Stadttor. Dann stand er vor seinem Elternhaus.

Seine Mutter sah ihn und verschwand mit einem Schrei rückwärts in der Tür. Darauf kam sein Vater heraus. »Du darfst doch nicht ...«, fing er an und stockte mitten im Satz.

»Vater, ich bin gesund! Ich brauche andere Kleider und etwas Geld für die Tauben. Morgen gehe ich zum Priester.«

Noch immer stand sein Vater da wie eine Säule und sagte kein Wort. Seine Augen suchten nach dem Fleck am unbedeckten Hals seines Sohnes, aber da war nichts. Nichts als gesunde, saubere Haut!

»Wie … wie kommt das?« Der Vater fand die Worte nur mit Mühe. »Wie nur kommt das?«, fragte er nochmals.

»Jesus, weißt du, Jesus, der Rabbi!«

»Wie bei Lea, genau wie bei Lea«, stammelte der Vater. Dann begann er zu weinen.

Die Tränen liefen ihm in den Bart, und er schämte sich nicht.

Davonfliegen

Wie gut, dass Jakob eine Zisterne gegraben hatte! Joel brauchte Wasser, viel Wasser, um sich zu waschen. In sauberen Kleidern ging er zum Priester, der ihn erwartete. Joels Vater hatte ihn angekündigt, alles war bereit.

Sehr lange und gründlich wurden Joels Gesicht und Arme untersucht.

»Ich kann nichts mehr finden«, sagte der Priester endlich. »Nun müssen wir tun, was das Gesetz vorschreibt.«

Da war er wieder, der Satz, der Joel einmal wie ein Blitz getroffen hatte. Diesmal aber tat er nicht mehr weh.

Umständlich traf der Priester nun die nötigen Vorbereitungen. Ein Gefäß mit Wasser wurde bereitgestellt. In einem Korb regten sich zwei Tauben. Dann lag da noch ein Büschel des Ysop-Strauchs. Der Priester nahm eine der Tauben aus dem Korb, hielt sie über das Wasser und tötete sie mit einem einzigen schnellen Handgriff. Dann ließ er ihr Blut ausfließen in ein besonderes Gefäß. Er tauchte seinen Finger in das Blut und berührte Joel damit. Dann nahm er die andere Taube, sprach ein Gebet und ließ sie fliegen.

»So bist du nun rein, und damit auch frei von allen Vorschriften, die für Aussätzige gelten.«

Joel sah der Taube nach. Sie flog ein paar Kreise und ließ sich dann auf einem Hausdach nieder. Frei, sie war nun frei – und er, Joel, war auch frei. Frei, zu gehen, wohin er wollte. Sogar in die Synagoge! Da war aber auch noch die tote Taube. Sie hatte für diese Freiheit sterben müssen. Und nun sprach der Priester auch noch von einem Lamm.

»Wenn du zum Fest hinaufgehst nach Jerusalem, dann opfere dem Höchsten ein Lamm, wie es das Gesetz vorschreibt!«

Joel wurde nachdenklich. Seine Freiheit kostete also Opfer. Er hatte das schon gewusst. Aber jetzt berührte es ihn stark, denn diesmal ging es um seine eigene Freiheit. Davonfliegen wie die zweite Taube.

Davonfliegen! Das durfte nun auch er! Ihm war wirklich fast so, als hätte er Flügel bekommen.

Ganz langsam ging er durch die Stadt, über den Markt, in die Gassen zu den Menschen. Einige schreckten zuerst vor ihm zurück und fragten voll Verwunderung, ob er dazu berechtigt sei. Denen erzählte er vom Rabbi, der ihn angerührt und gesund gemacht habe.

Erst hinterher erinnerte er sich an die Worte des Herrn Jesus. »Ich möchte, dass du das keinem erzählst«, hatte er gesagt.

Warum wohl?

Joels Heilung wurde zum Stadtgespräch. Nicht nur zum Stadtgespräch, die Leute stritten sich darüber.

»Er ist es, er ist der, den Gott versprochen hat«, sagten die einen. »Jesus ist der verheißene Befreier, er muss unser König werden. Israel wird wieder einen König wie David haben!«

Andere sagten: »Was kann schon aus Nazareth Gutes kommen? Er übertritt das Gesetz. Er ist gefährlich.«

Joel sehnte sich danach, Jesus wiederzusehen, ihm nun ganz aus der Nähe – wie die anderen – zuzuhören.

Aber Jesus war nicht mehr da. Er war weitergezogen. Er war auch nicht im nächsten Dorf, auch nicht in der nächsten Stadt.

Er sei an abgelegenen Orten, sagte man. Dorthin folgten ihm die Menschen nach und er lehre sie und mache viele Kranke gesund.

Wer war er?

»Das Himmelreich ist nahe herbeigekommen.« Diesen Satz vergaß Joel nicht mehr. Er glaubte ihn und wusste: Der Rabbi Jesus hat etwas damit zu tun. Und ihn, den Aussätzigen, hatte dieser Rabbi mit eigenen Händen berührt.

Nur etwas Öl

Joels Rückkehr ins Leben geschah kurz vor der Olivenernte. Es gab Arbeit in Hülle und Fülle. Die schönsten Früchte wurden von Hand gepflückt und in Öl und Salz eingelegt. Dann wurde mit Stöcken leicht auf die Äste der Ölbäume geklopft, sodass die Oliven auf die daruntergelegten Tücher fielen. Man sammelte sie in Körbe und drehte sie durch die Ölmühle. Schon tropfte dann das erste, kostbare Öl in die Gefäße. Das Gemahlene kam danach in die Ölpresse und wurde vollständig ausgedrückt.

So war Joel vom frühen Morgen bis zum Sonnenuntergang beschäftigt. Seine Schafe hatte er auf eine neue Weide gebracht. Inzwischen war sogar ein weiteres kleines Lamm geboren worden.

Den Rabbi hatte er nur noch ein einziges Mal gesehen. Damals war er von einigen Leuten umgeben, die bei den Frommen nicht beliebt waren. Das gab bei seinen Kritikern wieder viel zu reden.

»Er isst zusammen mit Zöllnern und Sündern. Er spricht sogar mit Frauen, die einen schlechten Ruf haben. Kein Wunder, dass ihm so viele nachfolgen!« So sprach man über ihn.

Joel wusste nicht, was er darüber denken sollte. Auch er war ja ein Ausgestoßener gewesen und Jesus hatte ihn trotzdem berührt. In seinem Herzen liebte er ihn. Aber er wagte nicht, den Gelehrten zu widersprechen.

So tat er einfach seine Arbeit.

Natürlich hatte er Ruth nicht vergessen. Ihretwegen freute er sich über jedes Silberstück, das er verdiente. Er hoffte nämlich, bei ihren Eltern doch noch einmal Gehör zu finden. Und er wollte diesmal mit einem besonderen Brautgeschenk ihre Gunst gewinnen.

Er hatte wahrgenommen, dass Ruth sich oft bei den Nachfolgerinnen des Rabbi aufhielt. Es lag bestimmt nicht nur daran, dass eine der Frauen, die Jesus dienten, ihre Tante war.

Für Joel sah eigentlich alles sehr hoffnungsvoll aus, bis eines Abends etwas geschah, was ihn sehr unglücklich machte.

Es war kurz vor Sabbatbeginn. Joels Mutter traf in der Küche die letzten Vorbereitungen für den Feiertag. Joel hatte die Ölpresse gereinigt, die Geräte versorgt und wusch sich gerade die Hände.

Da kam keuchend Nathanael angelaufen.

»Bitte, Joel, gib mir etwas von deinem besten Öl!«, rief er aus. »Mein kleiner Bruder hat sich am Herd verbrannt, und der Salbenverkäufer hat seinen Laden schon dichtgemacht!«

Da wurde in Joel plötzlich der Hass wieder lebendig. Er dachte an den Steinwurf, der ihn, den Aussätzigen, hätte treffen sollen.

»Von mir willst du Öl?«, fragte er höhnisch. »Das holst du wohl besser bei jemand anders!« Damit drehte er sich um und ging ins Haus. Nathanael ließ er einfach stehen.

Es wurde kein schöner Sabbat für Joel. Er erinnerte sich, von Jesus die Worte gehört zu haben: »Gib dem, der dich bittet.«

Das Himmelreich war ihm so nahe gewesen. Nun hatte sich etwas dazwischengeschoben durch seine eigene Schuld. Das spürte Joel ganz deutlich – und das machte ihn traurig.

Doch nicht mehr frei?

Als Aussätziger hatte Joel sich so danach gesehnt, wieder in die Synagoge zu gehen, als Gleichgestellter unter den anderen Männern zu sitzen und vielleicht sogar aus der Thora lesen zu dürfen. Nun wäre er am liebsten zu Hause geblieben und niemandem begegnet. Aber das durfte er seinem Vater nicht antun.

Natürlich war auch Nathanael da. Joel versuchte ihm auszuweichen. Er hielt sich ganz im Hintergrund auf. Und doch zog er alle Blicke auf sich. Es war ja etwas so Besonderes, dass ein Aussätziger als Gesunder wieder dabei war.

Er brauchte nicht mehr »Unrein! Unrein!« zu rufen. Aber beinahe hätte er es getan. Nathanael sah ihn nur einen kurzen Augenblick an und wandte sich dann ab. Fast wäre es Joel lieber gewesen, er hätte stattdessen einen Stein geworfen.

Den Aussatz war Joel auf wunderbare Weise losgeworden. Wie aber konnte man diese dunklen Flecken im Herzen wieder loswerden?

Weil er keine Antwort darauf fand, versuchte er sich davon abzulenken. Er arbeitete unermüdlich und mit Erfolg. Nach der Olivenernte ging er täglich zu seinem Onkel, der ein Töpfer war. Bei ihm hatte er gelernt, Lampen herzustellen. Er liebte es, kunstvolle Gebilde zu formen, die dazu bestimmt waren, Licht zu verbreiten. Auf dem Markt waren sie zusammen mit Vaters Öl sehr begehrt. Das Geschäft ging nicht schlecht.

Eines Tages bediente Joel gerade einen Käufer und merkte darum nicht, dass Ruth hinzugekommen war. Sie nahm eines der Öllämpchen in die Hand und musterte es von allen Seiten. Dann wartete sie, bis Joel sich ihr zuwandte.

»Möchtest du das haben?«, fragte er sie.

Sie nickte. »Es ist sehr schön, kannst du es für mich zurückbehalten? Ich will meinen Vater bitten, es für mich zu kaufen.«

»Ich will es dir schenken!«, platzte Joel heraus.

Ruth schüttelte den Kopf. »Das darf ich nicht annehmen«, sagte sie entschlossen. »Ich will es aber wirklich kaufen!«

Joel nahm ihr das Gefäß aus der Hand und wickelte es in ein Tuch. »Dann bewahre ich es für dich auf«, versprach er.

Ruth ging noch nicht weg. »Du machst sehr schöne Sachen«, sagte sie und fügte hinzu: »Glaubst du an Jesus?«

»Wie meinst du das?«, stammelte Joel. Er war völlig überrumpelt von dieser Frage.

»Er hat dich doch gesund gemacht, nicht wahr?«

»Ja, das hat er wirklich. Der Priester hat es bestätigt.«

Darauf nahm sie wieder eines von Joels Lämpchen in die Hand und sagte nachdenklich: »Er sagt von sich, er sei das Licht der Welt.«

»Glaubst du das?«, fragte nun Joel.

Ruth nickte. »Ja, ich glaube es. Schalom!« Und dann war sie weg.

Immer wieder nahm Joel das Lämpchen, das Ruth zuletzt bewundert hatte, in die Hand. Eigentlich war es noch gar keine Lampe. Jetzt war es nur ein Gefäß. Man musste Öl einfüllen und den Docht anzünden. Dann erst gab es Licht. War es das, was ihm fehlte, damit das Dunkel in seinem Innern hell wurde?

Licht anzünden, aber wie?

»Glaubst du an Jesus?« So hatte Ruth gefragt.

Joel grübelte: *Mir scheint, ich bin auf dem Weg dahin. Aber meiner Lampe fehlt noch das Licht.*

Der König

Das Passahfest kam näher, und Joel machte sich frühzeitig auf den Weg nach Jerusalem. Er hatte Verwandte in der Stadt, bei denen er gut eine Woche oder auch zwei wohnen konnte. Das Schaf, das er dem Höchsten zu opfern hatte, würde er auf dem Tempelplatz kaufen. Es gab Schafe, die nur zu diesem Zweck gehalten wurden. Man nannte sie »Tempel-Schafe«.

Joel war froh, dass er nicht eines seiner eigenen Tiere zum Schlachten bringen musste. Das eine, das sich geeignet hätte, war das schöne Böcklein, das Jakob ihm geschenkt hatte. Inzwischen war daraus ein fast erwachsener Widder geworden, der aber immer noch sehr anhänglich war. Joel hätte es nicht übers Herz gebracht, sich von ihm zu trennen.

Es waren sehr viele Menschen auf dem Weg nach Jerusalem. Man fand sich in Gruppen zusammen, das machte die Reise angenehmer. Joel wollte sich ein paar Jungen anschließen, die er kannte. Als er aber sah, dass Nathanael dabei war, suchte er sich andere Reisegefährten. So wanderte er mal mit den einen, mal mit den anderen, wie es sich gerade ergab.

Es lag eine eigenartige Spannung in der Luft. Überall wurde heftig diskutiert. Man hörte sehr oft den Namen Jesus. Man erzählte von seinen Taten, von seinen Worten und davon, was man über ihn dachte.

Es wurde auch gerätselt, ob er sich wohl schon in Jerusalem befinde oder noch unterwegs sei. Niemand zweifelte daran, dass er zum Fest kommen würde.

Joel hörte mehrmals, wie andere sagten, dass es wohl nicht mehr lange dauern könne, bis er als der König Israels auftreten werde.

Die Gassen Jerusalems waren gefüllt mit Menschen. Joel suchte das Haus seiner Verwandten auf. Man hatte ihn schon erwartet und begrüßte ihn freudig. Joel merkte jedoch sehr bald, dass im Haus eine seltsame Stimmung herrschte. Es wurde nicht oberflächlich geplaudert wie sonst. Es war auch nicht Trauer da, eher eine seltsame Feierlichkeit, wie an einem hohen Fest. Dabei war es doch noch gar nicht so weit. Einmal beobachtete er, wie seine Tante in Tränen ausbrach, nur weil ihre Tochter sie bedeutungsvoll angesehen hatte.

»Ist jemand von euren Freunden gestorben?«

»Ach nein«, sagten da die beiden Frauen gleichzeitig. »Das heißt, doch, er ist gestorben, aber er lebt wieder!«

Das sagte die eine, und die andere ergänzte: »Er war schon vier Tage im Grab!«

Was für ein Unsinn!, dachte Joel. *Die beiden Frauen müssen sehr verwirrt sein. Wahrscheinlich durch irgendein schlimmes Ereignis.* Erst nach und nach erfuhr er die Wahrheit.

Ein Freund der Familie war heftig erkrankt und dann gestorben. Joels Verwandte hatten, wie es sich gehört, seine trauernden Schwestern besucht, um mit ihnen zu weinen.

Dann sei Jesus gekommen. Er habe den Toten aus dem Grab gerufen, man stelle sich vor, nach vier Tagen! Nun sei er lebendig, esse und trinke, gehe ein und aus wie jeder andere Mensch.

»Das Himmelreich, das Himmelreich ist wirklich zu uns gekommen!« Mit diesen Worten schloss die Frau ihren Bericht.

»Das hat der Täufer auch gesagt«, fügte Joel aufgeregt hinzu.

»Dann kennst du ihn also auch?«, fragten nun die beiden. Da musste Joel seine Geschichte erzählen. Die anderen waren sehr bewegt von seinem Bericht, und das Staunen über Jesus wurde noch größer. Am Tag darauf hatte Joel hinter sich gebracht, was nach dem Gesetz zu tun war. Ein schönes Schaf, ohne irgendeinen Fehler, hatte für ihn sein Leben lassen müssen. Das war ihm schon ziemlich unter die Haut gegangen. In Gedanken immer noch bei seinem Opferschaf, stand Joel nun im Getümmel. Um ihn herum war viel Betrieb. Männer, Tiere, Käufer, Verkäufer, Lärm, Geschrei und dazwischen betende Menschen.

In seiner Nähe waren einige Priester und Pharisäer heftig am Diskutieren. Soeben sagte jemand: »Dieser Mensch tut so viele Wunder, dass zuletzt das ganze Volk an ihn glauben könnte.«

»Das ist eine große Gefahr«, fügte ein anderer hinzu. »Wenn ihm alles nachläuft, kommen die Römer und nehmen uns Land und Leute weg.«

Nun war Joel hellwach. Von wem sprachen die? Einer, der viele Wunder tut? Damit konnte doch nur Jesus gemeint sein! Und was sagte jetzt der mit dem schönen Kleid, vor dem alle großen Respekt zeigten?

»Es ist doch für alle besser, dass einer für das Volk sterbe, als dass das ganze Volk verloren sei.«

Daraufhin nickten die anderen, und einer meinte: »Wenn wir nur wüssten, wo er sich gerade aufhält!«

Der Mann mit dem schönen Kleid ergriff noch einmal das Wort: »Es wird sich schon einer finden, der uns das verraten kann. Wir werden ihn belohnen!«

Joel hatte genug gehört. Das durfte doch nicht wahr sein! Sie wollten Jesus verschwinden lassen – oder sogar töten!

Aufgeregt lief er zu seinen Gastgebern und erzählte, was er gehört hatte.

»Und es waren nicht irgendwelche vom Volk, die so gesprochen haben, es waren die Obersten vom Tempel!« So schloss Joel seinen Bericht.

»Ja, sie sind schon lange zornig auf ihn, aber sie können nichts tun. Das ganze Volk ist von ihm begeistert, und außerdem haben hier die Römer das Sagen.«

Das beruhigte Joel ein wenig, aber doch nicht ganz. Er hatte die entschlossenen Gesichter der Oberen gesehen und ahnte Schlimmes. Andererseits liebte Jesus einsame Orte und konnte sich bestimmt verborgen halten. Und er wusste ja, dass er Gegner hatte. Sicher kam er gar nicht zum Fest, so klug war er doch wohl!

Als Joel am nächsten Tag durch die Gassen Jerusalems ging, war das Gedränge noch größer als vorher. Väter trugen ihre Kinder auf den Schultern, um sie nicht in der Menge zu verlieren.

Irgendwoher war dann plötzlich die Nachricht durchgedrungen: »Er kommt! Jesus kommt!«

Vorher hatten sich die Menschen auf den Tempelplatz zubewegt. Nun drängte alles zur Stadt hinaus.

Jemand rief: »Gelobt sei, der da kommt in dem Namen des Herrn, der König von Israel!«

Das war wie ein Funken ins Pulverfass. Die ganze Menge begann zu schreien: »Hosianna dem Sohne Davids.«

Die freudige Aufregung erfasste auch Joel. Er stieß und drückte und war endlich heraus aus dem Gewühl. Jetzt sah er ihn. Er kam den Berg heruntergeritten. Er saß auf einem Esel. Die Leute brachen Zweige von den Bäumen und legten ihre Kleider auf den Weg. Kinder tanzten vor ihm her und riefen: »Hosianna, Hosianna in der Höhe!« Vor ihm, hinter ihm, neben ihm liefen Menschen und jubelten ihm zu.

Es war ein einziger Freudentaumel.

Ein König, der in seiner Stadt einzieht, dachte Joel.

Viele, die ihn noch nicht kannten, fragten: »Wer ist er?«

»Es ist Jesus, der Prophet aus Nazareth!«, sagte man ihnen.

Kaum war er durchs Stadttor geritten, da stockte der Zug. Einige der Gelehrten waren ihm in den Weg getreten. Joel hielt den Atem an. Das waren doch die Männer, die er über Jesu Tod hatte sprechen hören! Sie sahen sehr verärgert aus.

»Hörst du nicht, was sie rufen?«, hielten sie Jesus vor. »Diese Ehre gehört nur dem Messias und keinem anderen! Verbiete es ihnen doch!«

»Wenn diese schweigen, werden die Steine schreien!«, sagte Jesus und ritt ruhig weiter.

Die Abgewiesenen aber zogen sich empört zurück, hatten rote Köpfe und warfen ihre Hände in die Luft.

»Was sollen wir tun«, schimpften sie, »das ganze Volk läuft ihm nach.«

Joel war zufrieden. Nun hatte er gesehen, wie beliebt Jesus war. Nein, ihm konnte nichts geschehen. Was konnten schon eine Handvoll Feinde gegen diese Menge von Freunden tun! Er brauchte sich keine Sorgen mehr zu machen. Jesus hatte Kraft genug, sich selber zu helfen.

Ihn beschäftigte jetzt etwas anderes noch viel mehr. Vielleicht hatte er sich ja getäuscht. Und doch … Nein, das konnte nicht sein! Er kannte doch ihr blaues Kleid, ihre schwarzen Haare und ihr hübsches Gesicht!

Doch, er war sich ganz sicher, dass er in der Menschenmenge am Wegrand für einen kurzen Augenblick Ruth gesehen hatte.

Ruth war also auch in Jerusalem!

»Hosianna dem Sohne Davids!«

Was hatte er da gesagt? Ach, was für ein Durcheinander in ihm war!

In seiner Tasche hatte er noch Rosinen. Langsam kaute er sie und bekam allmählich wieder einen klaren Kopf.

Wie ein Lamm zur Schlachtbank

Am liebsten wäre Joel so schnell wie möglich wieder in die Stadt gegangen. Irgendwo musste Ruth ja zu finden sein. Seine Gastgeber jedoch hatten andere Pläne.

»Wir werden das Passahmahl zusammen mit unseren Freunden in Bethanien feiern«, sagten sie. »Man hört, dass es Leute gibt, die auch Lazarus nach dem Leben trachten, weil seinetwegen so viele an Jesus glauben. Da ist es gut, wenn er von Freunden umgeben ist.«

Das verstand Joel. Natürlich war er auch begierig darauf, einen Mann zu sehen, der aus dem Grab gekommen war.

Als sie dort ankamen, fanden sie das Haus voller Gäste vor. Die beiden Schwestern von Lazarus waren froh über die Mithilfe von Joels Verwandten. Auch über die mitgebrachten Nahrungsmittel freuten sie sich.

Joel setzte sich zu den Männern.

»Er hat es nicht nur meinetwegen getan«, hörte er Lazarus sagen. »Ich werde ja doch einmal sterben müssen. Natürlich weiß ich, dass er mich lieb hat.« Das sagte er mit Tränen in den Augen. Dann fuhr er fort: »Er ist die Auferstehung und das Leben, das hat er selbst gesagt. Die Herrlichkeit Gottes hat sich gezeigt, als er mich ins Leben rief.«

»Er ist wirklich ein Prophet!«, sagte da einer der Gäste.

Lazarus jedoch meinte: »Er ist viel mehr. Er ist der längst Versprochene, der Gesalbte.«

»Dann glaubst du, dass er wirklich der Messias ist?«

Die Antwort von Lazarus war kurz und bündig: »Er ist es!«

Joel staunte. Diese Gewissheit!

»Glaubst du an Jesus?« Das hatte Ruth ihn damals gefragt.

Lazarus glaubte an Jesus.

Als es dunkelte, brachten die Frauen Lampen herein und zogen sich dann zurück. Einige der Gäste waren heimgegangen, andere blieben da. Es wurde weiterdiskutiert bis tief in die Nacht hinein. Joel war im Sitzen eingeschlafen.

Heftiger Lärm weckte ihn auf. Jemand polterte an das Tor und begehrte Einlass. Zuerst erstarrten alle. Um diese Zeit kamen keine Gäste mehr. Ob die Feinde das Dunkel der Nacht ausnutzen wollten, um Lazarus zu holen?

Jemand lief zum Tor und fragte: »Wer ist da?«

»Ich bin's, Timon. Macht doch auf!« Nun wurde der Riegel zurückgeschoben und das Tor vorsichtig einen Spaltbreit geöffnet. Ein junger Mann, wenig älter als Joel, zwängte sich herein.

»Du, Timon?«, wunderte sich Lazarus. »Du wolltest doch erst nach dem Fest kommen! Du bist ganz außer Atem. Komm, trink erst etwas, und dann sprich!« Der Junge lehnte sich gegen die Wand, nahm den Wasserbecher und leerte ihn in einem Zug.

»Sie haben ihn gefangen genommen und weggeführt«, brachte er endlich heraus. »Eine ganze Horde, bewaffnet mit Schwertern und Stöcken ist gekommen, um ihn zu holen!«

»Gefangen? Wen denn? Wo? Warum?« So fragten alle zugleich.

Lazarus zog Timon auf die Bank neben sich und sagte: »Nun erzähl uns, was du weißt!«

»Sie haben Jesus gebunden weggeführt«, begann Timon. »Er war in dem Garten, wo er schon oft mit seinen Jüngern die Nacht verbracht hat.«

»Das hat ihnen jemand verraten!«

Timon nickte und fuhr fort: »Ein Sklave, der dabei war, hat mir alles erzählt.«

»Aber er hat doch Macht über sie! Er hat sich doch sicher gewehrt?« Joel begriff gar nichts.

»Nein, er ließ sich willig gefangen nehmen und vor den Hohenpriester bringen!«

»Wie ein Lamm zur Schlachtbank!« Diese Bemerkung kam von Lazarus.

»Wie ein Lamm zur Schlachtbank«, wiederholte er.

Die Botschaft von Timon hatte eingeschlagen wie eine Bombe. Alle wollten mehr wissen, aber Antworten hatte keiner.

Vielleicht ist das sein Weg, die Herrschaft zu übernehmen, dachte Joel. Vor den Oberen wird er sein Königtum beweisen! Einer, der Macht hat über den Tod, braucht seine Feinde nicht zu fürchten.

Diese Gedanken sprach Joel nicht aus, aber sie beruhigten ihn, sodass er den Rest der Nacht recht zuversichtlich verbringen konnte.

Die Krone

Als er erwachte, war die Sonne längst aufgegangen. Es war der Tag vor dem Sabbat, der Tag vor dem Fest. Joel war nicht der Einzige, der kaum erwarten konnte, mit eigenen Augen zu sehen, was in der Stadt geschah. Mit Timon und zwei älteren Männern machte er sich auf den Weg nach Jerusalem.

Eine seltsame Unruhe hatte ihn erfasst und trieb ihn vorwärts. Seine Begleiter ließ er bald hinter sich.

Die Stadt war erfüllt mit den Stimmen unzähliger Menschen. Es schien, als gäbe es irgendwo ein Riesenspektakel, das keiner verpassen wollte. Joel ließ sich von der Menge mitreißen und sah mit Staunen, wie sich auf beiden Seiten der Gasse eine Mauer von Menschen gebildet hatte. Es gelang ihm, auf einen Mauervorsprung zu klettern, um über die Köpfe hinweg sehen zu können. Er hörte höhnische Rufe und zugleich lautes Weinen. Plötzlich kam Bewegung in die Menschen vor ihm. Joel kletterte höher, um endlich etwas sehen zu können.

Und er sah!

Er sah Kriegsknechte, die in ihrer Mitte einen zum Tode verurteilten Verbrecher zur Eile antrieben. Aber den beachtete die Menge kaum. Die Leute reckten ihre Hälse nach jemandem, der erst noch kam.

Und er kam!

Ein Mann, qualvoll zugerichtet, gebeugt unter der schweren Last des Hinrichtungsbalkens. Er schwankte und schien kurz vor dem Zusammenbrechen zu sein. Sein Gesicht war kaum zu sehen. Seine Stirn war bedeckt mit einer Krone!

Mit einer Krone aus Dornen!

Tief hatten sich die Stacheln in sein Gesicht gegraben. Es war von Blut überströmt.

Joels Herz krampfte sich zusammen. Er wollte sich abwenden, diese Qual nicht mehr sehen.

Da schaute der Mann auf, und sein Blick traf Joel. Ein Blick, der ihn mitten ins Herz traf! Und da war es Joel, als müsste sein Herz stillstehen.

Er hatte den Mann erkannt.

Er ließ sich kraftlos zu Boden gleiten und kauerte da, als wäre er selber zum Tod verurteilt.

Die Menge drängte weiter, hinter den Verurteilten her. Joel hörte, wie sie schrien, wie sie höhnten. Aber er selber war zu keinem Schritt mehr fähig.

Jesus, Sohn Davids, gelobt sei, der da kommt, im Namen des Herrn, der König Israels!

Joel war nicht mehr Herr seiner Gedanken. *König Israels! Gekrönt mit Dornen! Mitten unter Verbrechern!*

Wie lange Joel so an der Mauer gekauert hatte, das Gesicht mit den Händen bedeckt – er wusste es nicht.

Er merkte auch nicht, dass jemand zu ihm gekommen war, bis seine Hand leicht berührt wurde, und jemand sagte: »Komm!«

Er schaute auf und erwachte aus seiner Betäubung. Ein sehr verweintes Gesicht war über ihn gebeugt. Es war Ruth.

»Komm!«, sagte sie nochmals und ging ihm voran. Er folgte ihr wie ein Traumwandler. Die Menschen rechts und links beachtete er nicht. Er versuchte einfach, das blaue Kleid vor ihm nicht aus den Augen zu verlieren.

Sie führte ihn bis zu einer Gruppe von Frauen, die weinend dastanden. Eine davon umarmte Ruth.

Joel hörte die rauen Befehle der Soldaten. Als er endlich hinzusehen wagte, sah er die drei Kreuze. Er sah ihn in der Mitte. Angenagelt an das Kreuz. Er wollte den Blick abwenden und konnte es doch nicht. Es war ihm, als spüre er selber die Schmerzen an Händen und Füßen. Viele gingen an den Kreuzen vorbei und spotteten.

»Anderen hat er geholfen. Nun helfe er sich doch selber!«

»Wenn du wirklich Gottes Sohn bist, dann steig doch herab vom Kreuz!«

Gottes Sohn? Hatte er das von sich gesagt?

Die Frauen weinten. Jesus sprach mit dem Verbrecher neben sich. Er sah auf seine Mutter und bat einen seiner Jünger, für sie zu sorgen.

Wie konnte er mit solchen Schmerzen noch an andere denken?

»König der Juden!« Das stand auf der Tafel über seinem Kopf. Über seinem geschundenen Kopf mit der Dornenkrone!

Plötzlich musste Joel an den Täufer denken. »›Das Himmelreich ist nahe herbeigekommen‹, hatte er gesagt.«
Himmelreich! Wo war denn nun das Himmelreich?

Aber er hatte doch noch etwas anderes gesagt! Etwas, was vielleicht sehr wichtig war.

Joel suchte in seiner Erinnerung. Da sagte Ruth, als hätte sie seine Gedanken gelesen: »Sehet, das ist Gottes Lamm, welches die Sünde der Welt trägt!«

»Sag das noch mal!«, drängte Joel.

»Das ist Gottes Lamm, welches die Sünde der Welt trägt!«, wiederholte sie.

Joel wollte darüber nachdenken, doch er konnte nicht. Die Erde bewegte sich, und es wurde dunkel und immer dunkler, so als verberge sich die Sonne.

Mitten im Geschrei der Leute, die aufgeschreckt Richtung Stadt rannten, war nun eine Stimme zu hören, die sich von allem anderen abhob. Sie war sehr deutlich und kam vom mittleren Kreuz her.

»Es ist vollbracht!«

Danach war es, als hielte die Welt einen Augenblick den Atem an. Joel ging näher zum Kreuz. Dort stand der Kommandant der Hinrichtungstruppe, erschüttert, sprachlos. Erst nach einiger Zeit sagte dieser: »Wahrhaftig, dieser ist Gottes Sohn gewesen.«

Joel konnte nicht anders, er fiel auf seine Knie. Als er wieder aufschaute zu Jesus, war kein Lebenszeichen mehr in ihm zu sehen. Gestorben! Gestorben als Gottes Lamm! Warum? Warum nur? Wegen der Sünde? War er, Joel, denn sündig?

Er schaute sich nach Ruth um. Sie war nicht mehr da. Die Frauen waren weggegangen.

Aber da stand noch jemand, gar nicht weit von Joel entfernt. Stand da, den Blick unverwandt auf Jesus gerichtet. Es war Nathanael.

Da begann etwas in Joels Herz zu brennen, richtig wehzutun. Er ging zu Nathanael, streckte die Hand nach ihm aus und sagte leise: »Vergib mir!«

Nathanael griff nach Joels Hand und zog ihn ganz nahe zu sich. Auch er hatte geweint.

Danach hatte Joel noch beobachtet, wie Jesus weggetragen und in ein neues Grab gelegt worden war.

Erleichtert stellte er fest, dass die Männer, die das taten, sehr sorgsam mit dem Toten umgingen. Sie hatten ihn wohl auch geliebt. Er sah ihre Eile und merkte daran, wie nahe der Sabbatbeginn war. Der Weg nach Bethanien war nicht allzu weit, eine halbe Stunde für einen guten

Fußgänger wie Joel. Er konnte es noch schaffen, bevor das Schopharhorn den Sabbat ankündigte. Ob das nun noch wichtig war? Es war ja viel Schlimmeres geschehen als eine Übertretung von Vorschriften.

Gottes Sohn war ans Kreuz genagelt worden wie ein Verbrecher! Ob die Sonne am nächsten Morgen wieder aufgehen würde?

Joel hatte sein Ziel noch rechtzeitig erreicht. Nun lehnte er an der Mauer und hatte keinen Mut hineinzugehen. Was sollte er den Frauen erzählen? Und Lazarus? Wie konnte man überhaupt davon reden? Wieder sah Joel vor sich das blutende Gesicht mit der Dornenkrone. Noch immer dröhnten in seinen Ohren die Hammerschläge, welche die Nägel durch Jesu Hände und Füße getrieben hatten.

Wofür war Jesus bestraft worden? Warum hatte Gott das geschehen lassen? Sünde getan hatten doch alle anderen, nicht Jesus!

Lamm Gottes, das der Welt Sünde trägt!

Opferlamm!

Joel stöhnte auf. Er durfte nicht da draußen bleiben. Er musste ins Haus gehen, trotz allem!

Als er eintrat, hatte Lazarus gerade den Weinbecher in der Hand und sprach das Segensgebet. Die Anwesenden rückten zusammen, um Joel Platz zu machen. Der Becher ging von Hand zu Hand. Joel nahm ihn und gab ihn weiter. Er merkte kaum, was um ihn herum vorging. Er kannte die Worte, die Lazarus jetzt sprechen würde. Er hatte sie schon als kleines Kind gelernt. Seine Gedanken waren ganz woanders. Immer noch auf dem Hügel, wo die Kreuze standen.

Doch plötzlich wurde er aufmerksam. Lazarus las zwar aus der Schrift, aber ganz andere Worte als sonst.

»Er ist um unserer Missetat willen verwundet und um unserer Sünde willen zerschlagen. Die Strafe liegt auf ihm, auf dass wir Frieden hätten, und durch seine Wunden sind wir geheilt.«

Joel sprang auf.

»Das ist es!«, rief er aus. »Das ist es, was heute geschah!« Dann begann er unkontrolliert zu zittern, sodass ihn jemand festhalten musste. Keiner tadelte ihn, keiner fragte weshalb.

Lazarus selbst nahm ihn in seine Arme und sagte nur: »Nun bist du sein Zeuge. So sehr hat Gott die Welt geliebt, dass er seinen Sohn gab, damit alle, die an ihn glauben, nicht verlorengehen, sondern ewiges Leben haben.«

Nein, Joel brauchte nichts zu erzählen. Sie wussten es alle. Seine Gedanken gingen zu seinem Schaf. Es lebte ja noch und sprang bestimmt lustig auf seiner Weide herum. Er war ja so froh gewesen, dass es fremde Schafe zu kaufen gab, sodass er nicht sein eigenes zu opfern brauchte.

Gott jedoch hatte seinen einzigen Sohn hingegeben. Hingegeben als Opferlamm!

Liebte er die Menschen *so* sehr? Dafür gab es keine Worte. Verstehen konnte man es auch nicht.

Durfte man sich dieser Liebe einfach öffnen?

Den ganzen Sabbat über hatte Joel Zeit nachzudenken. Der Schmerz war jedoch größer als die tröstlichen Gedanken. Es gab nichts zu rütteln an der Tatsache, dass Jesus tot war. Tot und in ein Grab gelegt.

In ein Grab, das mit einem gewaltigen Stein verschlossen war!

Konnte das denn sein? War Gott nicht ewig? Wie konnte sein Sohn dann tot sein?

Früh am ersten Tag der Woche machte sich Joel auf den Heimweg. Er sehnte sich danach, zu arbeiten.

Mit Händen und Füßen knetete er in der Werkstatt den Ton, bis er ganz fein und geschmeidig war. Dann machte er eine Lampe, deren Handgriff die Form eines Kreuzes hatte.

Das kann nicht wahr sein

Sein Onkel wunderte sich über den Eifer, mit dem Joel sich ins Zeug legte. Er hatte sich sichtbar verändert seit dem Fest. So schweigsam war er vorher nicht gewesen, so verbissen in seine Tätigkeit. Er formte Gefäße, als hinge sein Leben davon ab. Fragte man ihn über die Ereignisse in Jerusalem, wich er aus oder ging einfach weg.

Dabei waren Jesus von Nazareth und sein Tod zum Stadtgespräch geworden. Viele gaben ihrer Enttäuschung Ausdruck.

»Wir dachten, er würde Israel befreien«, sagten sie.

»Ach, wir haben doch schon geglaubt, es komme wieder eine Zeit mit einem König wie David.« Das konnte man überall hören.

Es gab aber auch Stimmen, die zufrieden meinten, nun kehre endlich wieder Ruhe und Ordnung ein.

Auch wenn Joel vor solchen Gesprächen die Ohren verschloss, so war doch keine Ordnung in seinen Gedanken. Und in seinem Herzen war ein Loch, ein schmerzhaftes Loch. Nur eines wusste er ganz sicher, und das hielt er fest wie ein Rettungsseil: Jesus hatte ihn gesund gemacht! Er war aussätzig gewesen, eindeutig aussätzig, und Jesus hatte ihn davon befreit!

Oft gingen seine Gedanken zu dem Grab, das er gesehen hatte. Darin lag er nun, so wie Lazarus gelegen hatte. Eingewickelt in Tücher. Und niemand konnte ihn herausrufen, so wie er Lazarus herausgerufen hatte.

Das passte einfach nicht zusammen und es hörte nicht auf, Joel zu beschäftigen.

Oft hielt er Ausschau nach Ruth. Vergeblich. Seit jenem Tag auf dem Hügel, der Golgatha hieß, hatte er sie nicht mehr gesehen. Auch nicht in der Synagoge.

Eines Tages jedoch, als Joel auf dem Markt seine Waren verkaufte, kam ihr Vater vorbei. Er fragte nach der Lampe für seine Tochter, bezahlte sie und ging dann doch nicht weg.

»Man hört seltsame Dinge aus Jerusalem.« So begann er das Gespräch. Joel horchte auf.

»Es gibt einige, die sagen, dass Jesus sich lebendig seinen Jüngern gezeigt habe.«

»Das kann nicht sein!«

»Es sind keine Lügner, die das erzählen!«

»Aber er war tot! Er wurde ins Grab gelegt, ich habe es selbst gesehen!«

»Das Grab ist leer!«

»Wer sagt das?«

»Ruth.«

Nun war Joel sprachlos. Ruth war nicht irgendeine Schwätzerin. Und der Mann, der ihm das erzählte, war ihr Vater.

»Du solltest einmal mit Kleopas reden«, sagte dieser noch. »Er hat ihn auch gesehen!« Damit entfernte er sich und überließ Joel seinem Staunen und seinen Zweifeln.

Überwältigende, kaum fassbare Dinge hatte er in den vergangenen Tagen erlebt. War denn das wirklich noch zu überbieten? Er hatte mit eigenen Augen gesehen, wie Jesus starb. Und dann der schwere Stein vor seinem Grab!

Vielleicht war doch alles nur wieder ein Gerücht. Er musste diesen Kleopas fragen.

Ihn zu finden, war leichter, als Joel befürchtet hatte. Sogar sein Vater wusste, von wem er sprach, als er ihm seinen Namen nannte.

Kleopas hatte gerade ein Schaf geschoren, als Joel ihn besuchte. Lachend begrüßte er ihn: »Schalom, Bruder! Ich kenne dich! Du warst doch am Passahfest bei Lazarus?«

Joel freute sich über die herzliche Begrüßung. Er wurde auch gleich eingeladen, ins Haus zu kommen und mit der Familie zu essen. Es gab Brot, Fisch und eingelegte Oliven. Dazu Wein und Wasser.

Kleopas nahm das Brot mit beiden Händen und sprach das Dankgebet. Dann brach er es in Stücke und verteilte es. Bevor er Joel sein Teil gab, sagte er: »Siehst du, daran haben wir den Herrn erkannt, wie er das Brot brach und es uns austeilte.«

Dann fügte er mit leuchtenden Augen hinzu: »Der Herr ist wahrhaftig auferstanden und uns erschienen! Er lebt! Auch Simon und die anderen haben ihn gesehen!«

Nach und nach, während Joel Kleopas bei den Schafen half, erzählte ihm dieser alles, was er erlebt hatte.

»Weißt du«, sagte er, »ich kann gut verstehen, wie unglaublich dir das vorkommen muss. Wir haben das ja auch nicht erwartet, obwohl er es angekündigt hat. Darum haben wir ihn nicht erkannt, als er mit uns ging.« Dann lachte Kleopas ein leises glückliches Lachen. »›O ihr Unverständigen mit trägen Herzen‹, so hat er uns genannt. Wie wahr das doch ist! Hätten wir nur der Schrift geglaubt, wir wären nicht so erschrocken!«

Das Schermesser wurde beiseitegelegt und das Schaf auf die Beine gestellt.

»Fertig für diesmal!« Damit öffnete Kleopas das Gatter und ließ die ganze Herde aus dem Pferch heraus.

»Geh im Frieden! Der Herr lebt!« Damit wurde Joel verabschiedet.

Diese Worte beschäftigten Joel auf dem Heimweg. Er selber hatte die Kraft Gottes an sich erlebt. Aber sie war noch viel größer, viel, viel größer als er denken konnte. So groß, dass anscheinend selbst der Tod nicht das letzte Wort hatte!

Und dann schrie er es den Bergen, die seinen Weg säumten, zu: »Gelobt sei, der da kommt im Namen des Herrn! Hosianna dem Sohne Davids!«

Der Gedanke, dass jemand ihn hören könnte, war ihm völlig egal. Was immer man über ihn dachte, was machte das schon!

Wichtig war nur noch das eine: *Jesus lebt! Er ist auferstanden, er ist wahrhaftig auferstanden!*

Ein Zeuge?

Es war schwer für Joel, einfach wieder an die Arbeit zu gehen, als wäre nichts geschehen. Er konnte sich nicht konzentrieren und machte einen Fehler nach dem anderen. Schon die vierte Lampe hatte er zerdrückt, weil sie ihm missraten war. Er war mit seinen Gedanken ganz woanders. Er sehnte sich nach den Freunden, die Jesus kannten.

Nachdem er wieder einen Klumpen Ton wütend in die Kiste geworfen hatte, meinte sein Onkel gutmütig: »Ja, ja, junger Wein schäumt beim Gären! Du wirst wohl verliebt sein!«

Joel wurde rot. So unrecht hatte der Onkel ja nicht. Es gab keinen Tag, an dem er nicht an Ruth dachte und sich fragte, wo sie wohl geblieben sei.

Aber das war nicht der einzige Grund seiner Unruhe. Da saß er an seiner Töpferscheibe und machte gewöhnliche Lampen, während ganz in der Nähe so gewaltige Dinge geschahen.

Wer weiß, dachte er, *vielleicht kann gerade heute jemand den Herrn sehen und ich bin nicht dabei!*

Manchmal wünschte er sich, er wäre bei Lazarus geblieben. Beim Gedanken an Lazarus kamen ihm wieder dessen Worte in den Sinn, dass er, Joel, nun ein Zeuge sei.

Zaghaft begann er seinem Onkel von Jesus zu erzählen, von der Kreuzigung und der Finsternis an jenem Tag.

Der Onkel sagte nicht viel, nickte nur ab und zu und tat, als wäre das alles für ihn nichts Neues.

Als Joel aber von der Auferstehung sprach, da lachte er lauthals.

»Was, diese Geschichten glaubst du?«, rief er aus. »Ich hätte dich für vernünftiger gehalten.«

»Aber das Grab war wirklich leer«, beharrte Joel.

»Pah, seine Jünger werden wohl den Leichnam gestohlen haben. Nachher haben sie das Märchen von seiner Auferstehung erzählt und die Dummen glauben es. Dich hatte ich allerdings bisher nicht zu den Dummen gezählt!«

»Ich habe aber mit jemandem gesprochen, der ihn gesehen hat!«, wehrte sich Joel.

»Man sieht manches, wenn man es sich stark genug einbildet.«

»Ist dann mein Aussatz und die Heilung auch Einbildung?« Mit dieser Frage hatte Joel den Bogen überspannt.

Ein strafender Blick seines Onkels sagte ihm deutlich, es schicke sich nicht, dass ein Junge einem älteren Mann so widerspreche.

Joel fühlte sich unbehaglich. Er merkte, wie sein Onkel ihn nun ständig beobachtete.

Zum ersten Mal war zwischen ihnen etwas wie eine Wand. Joel meinte sie auch in den nächsten Tagen zu spüren. Vielleicht war es aber nur, weil er von dem, was ihn am meisten beschäftigte, nicht sprechen durfte.

Dabei war sein Herz doch so voll davon.

Er musste unbedingt weitererzählen, was er erlebt und gehört hatte, aber wem? Nathanael! Natürlich, Nathanael musste es auch erfahren. Er war doch damals unter dem Kreuz so bewegt gewesen.

Joel suchte ihn auf und erzählte ihm von der Auferstehung. Nathanael hörte aufmerksam zu.

Dann sagte er: »Jesus ist ein überaus guter Mensch gewesen, besser als wir alle. Darum habe ich es fast nicht ertragen können, ihn so leiden zu sehen.« Nach kurzer

Pause fügte er hinzu: »Vielleicht ist es schon besser, dass er tot ist. Er hat auch viel Verwirrung gestiftet!«

Joel meinte, nicht richtig gehört zu haben. Er hatte doch gehofft, einen Verbündeten zu finden! So schnell wollte er jedoch nicht aufgeben.

»Er ist Gottes Sohn, Nathanael! Das ist ganz gewiss! Darum konnte er auch nicht im Tod bleiben, denn Gott ist ewig.«

Ein mitleidiger Blick traf Joel. So mitleidig hatte Nathanael ihn als Aussätzigen nie angeschaut. Damals hatte Joel für ihn etwas Bedrohliches gehabt. Jetzt aber war er für ihn einfach ein wenig verdreht im Kopf, aber ungefährlich.

»Weißt du, das mit der Auferstehung ist ganz einfach zu erklären«, versuchte Nathanael Joel zu belehren. »Wenn man ihn sehr geliebt hat wie du, wünscht man ihn sich natürlich zurück. Und das geht dann so weit, dass man glaubt, er lebe. Aber schau: Tot ist tot! Schmerzlich für dich, das gebe ich zu. Aber mit der Zeit wirst du darüber hinwegkommen.«

Joel war sehr enttäuscht. Seine Freude war ziemlich gedämpft.

Wer hatte nun recht? Wenn er Jesus doch selber begegnet wäre! Sicher, es war alles so unerklärlich. Aber das war Joels Heilung doch auch! Er klammerte sich an den Gedanken, dass bei Gott kein Ding unmöglich sei.

Zum Glück traf er bald darauf wieder den Vater von Ruth. Der flüsterte ihm beim Verlassen der Synagoge zu, so als wäre es ein Geheimnis: »Sieh zu, dass du zum Wochenfest nach Jerusalem kommen kannst!« Mehr sagte er nicht, aber damit hatte Joel nun wieder ein Ziel vor Augen, auf das er sich ausrichten konnte.

Zum Wochenfest nach Jerusalem! Nichts lieber als das!

Die Lampe brennt

Jesus hat uns befohlen, hier in Jerusalem zu bleiben und auf etwas Großes zu warten«, erklärte man Joel, als er in Jerusalem eintraf und die Anhänger von Jesus gefunden hatte. Wie viele da beieinander waren! Und sie alle glaubten an eine Auferstehung des Gekreuzigten! Da gab es kaum jemanden, der daran zweifelte, denn die meisten von ihnen hatten den Herrn gesehen.

Schon seit Tagen kamen sie zusammen und warteten. Und währenddessen beteten sie. Mitten unter ihnen befand sich die Mutter von Jesus, und auch Simon und die anderen Jünger waren da. Und auch Kleopas! Der freute sich besonders, als Joel erschien.

»Wärst du nur schon früher gekommen!«, bedauerte er. »Wir waren dabei, als Jesus in den Himmel gefahren ist! Er selber hat uns den Befehl gegeben, hier miteinander zu warten. Komm, bleib bei uns, du wirst es nicht bereuen!«

Natürlich blieb Joel, und die gespannte Erwartung erfasste auch ihn. Immer mehr Menschen kamen dazu. Es mussten wohl um die hundert sein. Viele kannte Joel nicht, und doch waren sie wie eine große Familie. Irgendwann stieß auch Ruths Vater dazu. Ruth selber jedoch sah er nicht.

Simon, den man auch Petrus nannte, war der Wortführer. Einmal sagte er etwas wie »Zeuge seiner Auferstehung sein«. Das schmerzte Joel. Er hatte es ja versucht, und es war nichts dabei herausgekommen.

Sicher brauchte der Herr Menschen wie Simon als Zeugen! Nicht so junge unerfahrene Leute wie Joel! Das sagte er auch Kleopas, aber der war damit gar nicht einverstanden.

»Wer sind wir schon? Und wer ist Simon? Ein Fischer ist er, und ich bin ein Bauer. Hör gut zu, Joel! Jesus hat gesagt: ›Mir ist gegeben alle Macht im Himmel und auf Erden und seht, ich bin bei euch alle Tage, bis ans Ende der Welt.‹ Er hat die Macht, Joel, er und nicht wir! Aber warte nur!«

Und Joel wartete.

Alle warteten.

Die Stadt füllte sich mit Menschen wie immer vor dem hohen Fest. Man hörte das Gesumme ihrer Stimmen bis hinein in die Häuser.

Dann, am Feiertag selbst, war schon alles früh unterwegs. Lachen, Rufe, Gesänge erfüllten die Gassen.

Da plötzlich erfüllte ein gewaltiges Brausen, wie von einem großen Sturm, den Raum, wo die Gläubigen versammelt waren.

Und dann waren da Flammen wie von Feuer, die sich auf die wartenden Menschen niederließen.

»Der Herr lebt! Er tauft uns mit Heiligem Geist!« Das rief Joel so laut er konnte, und alle anderen jubelten ebenfalls.

Da fasste ihn jemand an der Schulter. »Was hast du soeben gesagt?«, fragte da einer. Und Joel pries den Allmächtigen und erzählte von seiner Heilung und merkte nicht, dass er in einer Sprache redete, die er nie gelernt hatte.

Erst als der andere erstaunt meinte: »Nun höre ich hier in Jerusalem meine Muttersprache und bin doch ein Fremder!«, da merkte Joel, was geschah.

Er konnte nur noch staunen. Staunen und anbeten.

Andächtig hörte er zu, wie Simon den vielen Menschen, die herbeigeeilt waren, von Jesus erzählte. Er rief sie auf, an Jesus als ihren Erretter zu glauben und sich auf seinen Namen taufen zu lassen.

Joel ging auch mit zur Taufe und wartete geduldig, bis er an der Reihe war. Das dauerte lange, denn es waren viele, denen der Herr Glauben geschenkt hatte. Mit strahlendem Gesicht stieg er aus dem Wasser.

Nun war es besiegelt. Sein Leben gehörte Jesus.

Fast hätte er sie nicht gesehen. Sie stand draußen, dicht an die Mauer gedrückt und rief leise seinen Namen.

»Ich bin auch getauft«, sagte Ruth und fügte hinzu: »Ich bin so glücklich!«

»Das bin ich auch«, antwortete Joel. »Gepriesen sei der Herr!«

Joel war doppelt glücklich. Nun wusste er, dass Jesus in ihm wohnte durch seinen Geist.

Und er hatte Ruth wiedergesehen. Sie hatte sogar auf ihn gewartet.

Aber sein Herz brannte! Es brannte ganz und gar für Jesus.

Ein paar Tage noch blieb Joel in Jerusalem und freute sich mit seinen Freunden über die wunderbaren Gaben Gottes.

Dann kehrte er nach Hause zurück, um seine Arbeit wieder aufzunehmen. Doch dazu kam es nicht. Es hatte sich unterdessen einiges verändert – und das nicht zu seinem Vorteil.

Fürchte dich nicht

Kleopas und Joel hatten ein Stück weit den gleichen Heimweg. Während sie zusammen gingen, sprachen sie von Jesus, und Joel erfuhr von seinem Begleiter vieles, was der Herr gesagt und getan hatte.

Bevor sie sich trennten, ermahnte Kleopas ihn: »Erschrick nicht, wenn man dich hasst! Sie haben den Herrn abgelehnt, und das werden sie auch mit uns tun. Wir sind nicht größer als er. Aber fürchte dich nicht! Auch wenn wir sterben, werden wir leben, weil wir ihm gehören. Dann sind wir für immer bei ihm! Fürchte dich nicht, der Herr ist mit dir! Geh im Frieden!«

Sie umarmten sich, und dann ging jeder seinen Weg.

Zu Hause fand Joel seinen Vater in tiefer Verzweiflung, denn seine Mutter war sehr krank geworden. Sie hatte seit Tagen hohes Fieber und war kaum mehr ansprechbar.

»Du kommst gerade noch rechtzeitig, mein Sohn«, meinte sein Vater traurig. »Deine Mutter wird sterben, und du wirst mir helfen müssen, sie zu begraben!«

Für Joel war das, als würde er vom Himmel auf die Erde zurückgeworfen. Er hatte Tage des Jubels und der Freude, Tage voll Liebe, wirklich ein Stück Himmelreich erlebt. Nun sah er seine Mutter fiebernd und blass, ein Jammerbild.

Als er sich an ihrem Lager hinkniete und ihre Hand in die seine nahm, öffnete sie nicht einmal die Augen. Immer wieder lief ein Zittern durch ihren geplagten Körper. Joel musste weinen.

Wenn jetzt nur der Herr da wäre, dachte er.

»Ich bin bei euch alle Tage, bis an das Ende der Welt!«

Joel schaute sich nach seinem Vater um. »Hast du etwas gesagt, Vater?«

Nein, das hatte er nicht! Er wischte sich soeben mit der Hand über die Augen und schüttelte den Kopf.

»Ich bin die Auferstehung und das Leben!«

Nein, diese Worte kamen nicht von einem Menschen. Sie kamen aus dem Innern von Joel selber, aus seinem Herzen.

Er wohnt in mir! Er selber ist es, der redet durch seinen Geist. Das wurde Joel nun plötzlich klar.

Was soll ich nur tun?, fragte er sich gequält. *Wenn er mit mir redet, dann rede ich auch mit ihm,* dachte er.

»Herr«, begann er zaghaft, »Herr, ich bin nicht Simon Petrus! Ich bin nur der Joel, du weißt es!« Dann machte er eine Pause. Durfte er weiterreden?

In seinem Herzen war wieder diese Stimme wie vorhin: »Mir ist gegeben alle Macht im Himmel und auf Erden!«

»Das glaube ich, Herr!« Die Mutter stöhnte. Ihre Lippen waren so trocken und aufgesprungen. Das tat Joel weh bis ins Innerste.

»Erbarm dich, Herr! Erbarm dich über meine Mutter! Jesus, Sohn Gottes, hilf ihr!«

Das war ein unbeholfenes, verzweifeltes Gebet.

Auch sein Vater hatte es gehört.

»Was sagst du da?«, rief er entsetzt. »Du nennst Jesus ›Sohn Gottes!‹ Das ist Lästerung! Mein Sohn ein Gotteslästerer!« Das sagte er so gequält, dass Joel sich aufrichtete und widersprechen wollte.

Während er gerade den Mund auftat und nach Worten suchte, kam eine Stimme aus der Ecke des Raumes: »Streitet nicht!«

Beide Männer drehten sich um. Wer hatte das gesagt?

Die Mutter saß aufrecht auf ihrem Bett und wiederholte: »Streitet nicht! Ich habe Durst, gebt mir zu trinken!«

Die Männer stürzten beide zum Wasserkrug. Der Vater war schneller dran. Mit dem Becher in der Hand kam er zu seiner Frau. Sie nahm ihn und trank wie eine Verdurstende.

»Das tut gut!«, sagte sie, legte sich hin und schlief nach kurzer Zeit ein. Sie atmete mit tiefen regelmäßigen Atemzügen.

»Es geht ihr besser, nicht wahr?«, sagte Joel. »Ich glaube, Jesus hat sie angerührt. Wir brauchen sie nicht zu begraben!«

Man konnte deutlich sehen, wie es in dem älteren Mann kämpfte. Er hatte soeben etwas erlebt und konnte nicht fassen, was es war.

Joel wusste es und sagte: »Es ist ein Wunder, eine Gnade Gottes! Jesus lebt, Vater!«

Dieser verließ den Raum mit gebeugtem Kopf. Fast ließ sich an seinem Rücken ablesen, was er dachte.

Wie konnte er, der ein Rabbi war, ein Lehrer der Schrift, nun plötzlich zugeben, dass Jesus von Nazareth doch der Sohn Gottes, der verheißene Messias war? Die Oberen behaupteten doch immer heftiger, er sei ein Verführer, ein Gotteslästerer und er sei tot.

Aber ihm, Joels Vater, schien es immer mehr, Jesus sei lebendiger denn je. Zuerst das Wunder von Joels Heilung! Und nun seine Frau!

Seine eigenen Gedanken erschreckten ihn. Im Grunde seines Herzens glaubte er an Jesus, aber das wollte er für sich behalten. Er nahm sich fest vor, mit keinem Menschen darüber zu sprechen.

Nur: Damit hatte er die Rechnung ohne seine Frau gemacht.

Nach einem langen Schlaf ging es ihr schon viel besser. Sie ließ sich von Joel alles erzählen, was er erlebt hatte.

Am nächsten Tag konnte sie schon zum Brunnen gehen, um Wasser zu holen. Sie erzählte allen, die es wissen wollten, dass Jesus sie geheilt hatte.

Die Folgen ließen nicht lange auf sich warten. Am nächsten Sabbat wurde ihr Mann in der Synagoge nicht zum Lesen aus der Schrift aufgefordert. Auch nicht am übernächsten und den folgenden Sabbaten. Das Schlimmste war, dass einige seiner Thoraschüler nicht mehr kamen. Ihre Eltern schickten sie zu einem anderen Lehrer. Zum Glück gab es noch Öl zum Verkaufen. Und Joel konnte durch seine Arbeit beim Töpfer Geld verdienen.

Aber auch das nahm ein Ende. Als Joel eines Tages in der Werkstatt erschien, saß schon jemand auf seinem Schemel an der Töpferscheibe. Es war Nathanael!

»Wie du siehst«, sagte sein Onkel, ohne ihn dabei anzublicken, »wie du siehst, brauche ich deine Hilfe nicht mehr. Es gibt ja jetzt anderes, das dir wichtiger ist.«

Joel war zu erschrocken, um irgendetwas zu sagen. Das tat weh, entsetzlich weh! Fast wie damals, als er wegen der Krankheit ausgestoßen wurde. Er drehte sich um und ging nach Hause.

Seine Eltern waren gerade im Gespräch mit Ruths Vater. Das war sehr ungewöhnlich. Seit Joels Krankheit hatten sie sich nicht mehr besucht. Joel wollte sich schnellstens wieder davonmachen. Doch man hatte ihm wohl angesehen, dass etwas nicht in Ordnung war. Sein Vater rief ihn zurück und forderte ihn auf, zu erzählen.

Als er damit fertig war, sagte Ruths Vater: »Ein rechter Jünger des Herrn folgt ihm auch durchs dunkle Tal! Ich bin froh, dass ich meine Tochter nicht Nathanael versprochen habe. Und nun müssen wir zusammenhalten!«

Dann verabschiedete er sich mit der Bemerkung: »Dann sehen wir uns also morgen!«

Nun war Joel sehr neugierig geworden. *Was hatte dieser Besuch zu bedeuten?*

»Er hat uns erzählt, dass die Jünger Jesu sich regelmäßig bei Kleopas treffen und er möchte, dass wir auch hingehen.«

Der Tag hatte für Joel so schlecht begonnen. Und nun diese gute Nachricht! Mit den anderen Gläubigen zusammenzukommen, war schon Freude genug. Dass seine Eltern sich nun auch dazuzählten, war noch besser. Und das Beste war, dass er offensichtlich bei Ruths Vater wieder eine Chance hatte.

Stärker als zuvor

Bei der Synagoge standen einige Männer und diskutierten heftig. Auch Joels Onkel war dabei.

Einer, es war ein Gelehrter der Schrift, sagte: »Es ist schlimmer als zuvor! Diese Sekte wächst wie ein Geschwür.«

»Aber sie tun nichts Böses. Im Gegenteil: Es sind doch alles gute Leute, fleißig und ehrlich.«

»Das ist es ja gerade! Sie helfen einander und tun, als wären sie im Paradies. Das ist gefährlich!«

»Sie verlassen früher oder später den Weg des Gesetzes. Man muss etwas unternehmen!«

Eine Frau, die etwas abseits ihre Bohnen ausklopfte, hatte gut zugehört. Nun mischte sie sich ein: »Wären nur alle wie sie! Der Ewige ist mit ihnen!«

»Schweig! Seit wann dürfen Frauen an den Gesprächen der Männer teilnehmen?«

Die Frau raffte ihre Sachen zusammen und verschwand im Haus, indem sie rief: »Bei ihnen sind auch wir Frauen jemand! Bei ihnen – und beim Herrn!«

»Da seht ihr es! Da habt ihr den Beweis!« So ereiferte sich der eine.

»Wie soll das gehen, wenn sogar die Frauen vergessen, wo sie hingehören!«

»Ja, man sagt, dass sie gemeinsam beten!«

Für Joel allerdings waren die Stunden gemeinsam mit den anderen Menschen, die an Jesus glaubten, das Schönste. Er konnte sie jeweils kaum erwarten. Er lernte Simon Petrus kennen und andere, die mit dem Herrn gewesen waren. Er hörte, wie sie von seinen Worten erzählten, und erlebte, wie die Kraft Gottes auch durch sie wirkte. Gemeinsam aßen sie das Brot und tranken vom Wein. Dabei dachten sie daran, wie Jesus sich als Opferlamm für sie alle hingegeben hatte. Und sie wussten, dass Jesus da war. Unsichtbar, aber spürbar, weil sein Geist in ihnen war.

Sie wurden immer zahlreicher, und sie halfen einander, wo es ging.

In Joels Familie fehlte das Geld, das er vorher verdient hatte. Doch auch da erlebten sie Hilfe. Joel traf bei Kleopas einen Mann, der mit Leder arbeitete. Bei ihm lernte er, Sandalen herzustellen, und das reichte aus, um seine Familie finanziell versorgen zu können. Als er schon etwas Übung in diesem Handwerk hatte, arbeitete er an einem besonderen Paar. Es sollte das feinste und schönste Schuhwerk werden, das Mädchenfüße je getragen hatten. Er suchte dazu ein sehr weiches, geschmeidiges Leder aus und flocht die Riemen so kunstvoll, wie er nur konnte.

Da, wo die Riemen sich kreuzten, setzte er eine hübsche Silberrosette ein. Sie waren wirklich prächtig anzusehen, die Sandalen für Ruth!

Nur: Wie sollten sie von ihm zu ihr gelangen? Das war fast schwieriger, als sie herzustellen.

Eines Tages überwand er seine Scheu und machte sich auf den Weg zu ihrem Elternhaus. Sie waren ja keine Fremden für ihn, er sah sie regelmäßig bei den Versammlungen der Gläubigen. Ruth selber war nie dabei. Etwas außerhalb der Stadt Jerusalem betreute sie die Kinder ihrer Schwester, die sich von einer Krankheit erholen musste.

Erwartungsvoll klopfte er an die Tür ihres Hauses. Joel war darauf gefasst, ihrem Vater zu begegnen. Auch mit ihrer Mutter hatte er gerechnet, nur nicht mit Ruth.

Nun stand sie vor ihm und hatte verweinte Augen.

»Komm herein«, sagte sie hastig. »Es ist nicht gut, wenn man dich hier sieht!«

Das war nicht ermutigend. Joel folgte ihr ins Innere des Hauses. Da war fast alles ausgeräumt. Fertig verschnürte Bündel lagen herum.

»Ich bin gekommen, um meine Mutter abzuholen«, erklärte Ruth. »Sie haben meinen Vater ins Gefängnis geworfen und andere Brüder auch. Sogar einige Frauen.«

Joel war sprachlos. Er verstand gar nichts. Was ging hier vor?

»Hast du denn nicht gehört, dass Stephanus gesteinigt worden ist? Dass sie beschlossen haben, die ›Sekte der Nazarener‹, wie sie uns nennen, auszurotten?«

»Wer ›sie‹?«, fragte Joel bestürzt.

»Die Pharisäer, die Oberen, die Schriftgelehrten! Besonders einer, der Saulus heißt!«

Joel stand da, mit seinem Geschenk in der Hand, und fand keine Worte. Nun wusste er, warum sie geweint hatte.

»Kann ich euch helfen?«, fragte er.

»Ja! Bitte sorge dafür, dass Kleopas und die anderen das erfahren!«

»Darauf kannst du dich verlassen!«, versprach er.

»Und noch etwas! Joel, du bist auch in Gefahr! Sie werden auch dich finden. Bitte zieh weg von hier! In eine Gegend, die sie meiden!«

Das sagte sie so flehend, dass es Joel ganz warm ums Herz wurde. War sie so besorgt um ihn? Ach, er hätte sie doch bitten sollen, auch an sich zu denken, sich in Acht zu nehmen.

Stattdessen hielt er ihr einfach die Sandalen hin und sagte: »Das habe ich für dich gemacht!«

Ruth wurde rot, und die Tränen rollten erneut über ihr Gesicht.

»Sie sind wunderschön!«, stammelte sie. »Ich werde sie immer tragen. Aber warte, ich habe auch etwas für dich gemacht!«

Sie ging zu ihrem Webstuhl, der noch wie immer in der hellsten Ecke des Raumes stand. Dann kam sie zurück mit einem Gebetsschal und legte ihn Joel um die Schultern.

Dann hob sie die Hand, als wollte sie ihn segnen.

»Der Ewige sei mit dir!«, sagte sie.

»Der Herr behüte dich!«, antwortete Joel und hüllte sich fest in den Schal, als wollte er sich dahinter vor seinen Gefühlen verstecken.

Viele Gedanken schwirrten Joel durch den Kopf, als er nach Hause ging. Er dachte an die Worte von Kleopas: »Sie haben unseren Herrn gehasst, und sie werden auch uns hassen. Fürchte dich nicht, Jesus ist mit uns.«

Nein, er wollte nicht weniger mutig sein als Ruth. Er wollte dem Herrn ganz vertrauen.

Er wusste nun nicht einmal, wo sich die Familie von Ruth niederlassen wollte. Ihre Wege hatten sich wohl für lange Zeit getrennt. Vielleicht sogar für immer?

Joel konnte es kaum erwarten, Ruths Botschaft zu Kleopas zu bringen.

Da wollte er gleich hingehen.

Das Tor war verschlossen. Sonst hatte es immer offen gestanden. Als er seinen Namen nannte, ließ man ihn ein. Die Versammelten waren ins Gebet vertieft. Möglichst leise, um nicht zu stören, kam Joel dazu.

Jemand lobte den Herrn voller Freude: »Du, mein Herr und mein Gott! Ich bin nur der Geringste unter deinen Knechten. Du aber hast mir die Gnade geschenkt, dass ich für dich leiden durfte. Diese Wunden an meinem Körper sind mein Ehrenmal. Ich danke dir, Herr! Ich preise dich!«

Joel horchte auf. Diese Stimme kannte er! War das nicht …? Nein, das konnte nicht sein!

Aber er war es doch! Es war der Vater von Ruth.

Joel brauchte nichts mehr zu erzählen. Das tat jener nun selbst.

Er hatte die Gläubigen in Jerusalem besucht. Da waren die Feinde eingedrungen und hatten ihn und andere gefangen genommen und weggeführt. Nach dem Verhör, bei dem er sich zu Jesus bekannte, war er ausgepeitscht, ermahnt und wieder freigelassen worden.

»Sie haben mir befohlen, nicht mehr über Jesus zu reden. Ich werde mich nun mit meiner Familie in Samaria niederlassen und dort allen erzählen, dass es in keinem anderen Erlösung gibt, außer in Jesus, dem Messias.«

»Ja! Sagt es allen, lasst euch nicht davon abhalten!«, rief da einer, den Joel noch nie gesehen hatte. Der Fremde stand auf, ein großer starker Mann.

Er war der, welcher die Schläge hatte austeilen müssen. Und er habe es kräftig getan, beteuerte er. Dann zeigte er seine Hände.

»Seht her, damit habe ich geschlagen. Mit diesen Händen habe ich ihn geschlagen!« Er zeigte auf Ruths Vater. »Er müsste mich hassen, aber er hat mir sogar gedankt! Gedankt für die Schläge! Und dann …« Seine Stimme versagte.

»Erzähl du weiter!«, forderte er Ruths Vater auf.

»Ach, es ist nichts Besonderes. Der Herr hat ihn einfach berührt.«

Der Fremde sah noch immer auf seine Hände.

»Durch die Hände von Jesus haben sie Nägel geschlagen. Das hat der Mann dort mir erzählt. Und das hat er für mich erlitten, für mich, damit der Allmächtige mir meine Sünde nicht anrechne!«

Mehr konnte er nicht sagen, aber man sah, dass ihm die Augen aufgegangen waren für das Lamm Gottes.

»Er ist unser Bruder geworden, dafür wollen wir Gott danken!«

Alle freuten sich. Dann teilten sie das Brot und den Wein.

Mit neuem Mut ging Joel heim.

Er war so voll Begeisterung, dass er die Gestalt nicht sah, die schnell im Dunkeln verschwand, als er sich dem Haus seiner Eltern näherte.

Im Feuer

Er versuchte, leise zu sein, um seine Eltern nicht zu wecken. Müde von all dem Erlebten schlief auch er bald ein.

Mitten in der Nacht erwachte Joel mit dem beängstigenden Gefühl, ersticken zu müssen. Er hatte wohl schlecht geträumt. Er richtete sich auf und wollte den Traum abschütteln. Doch noch immer konnte er nicht frei atmen. Ein Hustenanfall würgte ihn.

Gespenstischer Lichtschein tanzte durch den Raum. Schlagartig wurde Joel hellwach. Nun merkte er auch, was das seltsame Knistern bedeutete. Der Rauch war unerträglich. Das Haus brannte!

»Vater! Mutter!«

Joels Schrei hatte seinen Vater aufgeschreckt. Dieser taumelte zur Tür und versuchte das Schreckliche zu begreifen.

Unterdessen hatte Joel seine Mutter auf die Beine gebracht. Er zerrte sie mit Gewalt zum Ausgang. Es war höchste Zeit. Rauch und Flammen taten ihr zerstörerisches Werk mit unglaublicher Gewalt.

Zum Entsetzen seiner Eltern rannte Joel plötzlich zurück in das brennende Haus.

»Mein Gebetsschal!«, schrie er, als ginge es um das Leben eines Kindes.

Fast hätte er es geschafft. Er wusste ja genau, wo er ihn hingelegt hatte. Er brauchte nur danach zu greifen. Er war schon fast wieder an der Haustür, da krachte ein Balken herunter und traf ihn am Kopf.

»Helft doch!«, rief sein Vater und versuchte verzweifelt, seinen Sohn ins Freie zu ziehen. Aber der Balken hinderte ihn daran. Es hatten sich schon Neugierige versammelt, die das nächtliche Schauspiel verfolgten. Nathanael war auch dabei, doch er wandte sich ab und verdrückte sich. Einer jedoch sprang hinzu und packte an. Es war der Töpfer.

»Es ist immerhin mein Bruder, dessen Sohn verbrennt«, meinte er und half.

Einige Frauen brachten Wasser.

Joel lag nun im Freien. Er atmete noch, aber nur sehr schwach. Seine Mutter versuchte, ihn mit kühlem Wasser zu beleben.

»Jesus, du Sohn Gottes, erbarme dich!«, betete sie laut.

»Sie lästert!«, begann da eine Stimme zu keifen.

Ein Murren ging durch die Menge.

»Lasst sie doch samt der Hütte verbrennen, die Abtrünnigen!«, rief jemand.

»Das gefällt dem Ewigen nicht«, meinte ein anderer und half mit, Joel in das Haus seines Onkels zu tragen.

Die armen Eltern von Joel! Ihr junger Glaube wurde auf eine harte Probe gestellt. Zwei Tage lang gab Joel kaum Lebenszeichen von sich. Seine schönen Haare waren versengt. An Gesicht und Händen hatte er schlimme Brandwunden. Aber offenbar war es der Schlag auf den Kopf, der sein Leben fast ausgelöscht hätte. Seine Mutter blieb neben Joels Lager, kühlte seine Wunden und befeuchtete seine Zunge.

Sie betete unaufhörlich. Am dritten Tag veränderte sich sein Zustand. Er stöhnte und wälzte sich auf seinem Bett hin und her und glühte im Fieber.

»Entweder stirbt er bald, oder er erwacht zum Leben«, meinte seine Mutter und betete weiter. Sie versuchte ihm Wasser einzuflößen – und siehe da: Er schluckte es.

So war auch das erste Wort, nachdem er endlich erwacht war, »Durst«. Er konnte seine verbundenen Hände nicht benutzen, aber seine Mutter setzte ihm immer wieder den Becher an die Lippen, und er trank gierig. Das war ein gutes Zeichen.

Das Zweite, was aus seinem geschwollenen Mund kam, waren die Worte: »Mein Gebetsschal?«

Den hatte man ihm aus seinen Händen winden müssen, so sehr hatte er ihn umklammert. Er war zwar an einigen Stellen angesengt und sah zuerst schwarz und unansehnlich aus. Doch nach gründlichem Waschen waren die Farben wieder zum Vorschein gekommen. Das dichte Gewebe hatte dem Feuer gut widerstanden.

Als man ihn wie eine Decke über Joel ausbreitete, ging ein Lächeln über sein verletztes Gesicht. Der Schal wirkte wie Medizin. Joel wurde ruhiger und schlief sehr lange.

Es dauerte noch einige Zeit, bis er wieder richtig ins Leben zurückkehrte. Sehr langsam setzte Heilung ein, doch er hatte starke Schmerzen.

Er sprach wenig, und mit keinem Wort erwähnte er den Brand. Das schien wie ausgelöscht aus seinem Gedächtnis.

Umso mehr wurde in der Nachbarschaft darüber geredet. Warum war das Feuer ausgebrochen?

Warum war Nathanael nicht mehr zur Arbeit erschienen?

Warum war er überhaupt aus der Stadt verschwunden?

In der Familie wurde dieses Thema vermieden, der Name Nathanael wurde nicht erwähnt. Jeder machte sich darüber seine eigenen Gedanken.

Je besser es Joel ging, umso mehr merkte man, dass die drei Obdachlosen der Gastfamilie zur Last wurden.

Joels Vater begann ihre Abreise vorzubereiten. Ihr Hab und Gut samt dem Haus war verbrannt. Was ihnen blieb, waren ein paar Schafe und etwas Land mit den Olivenbäumen darauf. Auch ihr Esel hatte keinen Schaden genommen.

Immer noch genug, um dankbar zu sein, fanden sie.

Der Onkel war bereit, für die Olivenbäume einen guten Preis zu zahlen. Das Land sollte im Besitz der Familie bleiben.

Das ablehnende Verhalten einiger Nachbarn bewog sie, aus der Stadt wegzuziehen und sich an einem neuen Ort niederzulassen.

Joel konnte man nicht um Rat fragen. Er hatte Mühe, den Gesprächen zu folgen, und die Eltern wollten ihn damit nicht belasten, weil sie einen Rückfall befürchteten.

Der Vater hatte Verwandte in der Nähe von Damaskus. Bei ihnen hoffte er für kurze Zeit bleiben zu können, sodass er dort ein Haus für seine Familie suchen konnte.

Sobald Joel so weit war, dass er sich auf einem Esel festhalten konnte, machten sie sich auf den Weg. Mehr als zwei Stunden konnte man ihm allerdings nicht zumuten. So brauchten sie für die Reise mehrere Tage.

Als sie sich einmal in einer Herberge ausruhten, merkte Joel, wie andere Gäste ihn interessiert musterten und dabei geheimnisvoll tuschelten. Sein Gehör hatte nicht gelitten, und so bekam er einiges mit von dem, was sie sagten.

»Ist das nicht der Junge, der fast im Feuer umgekommen wäre?«

»Du hast recht, das muss er wohl sein. Vielleicht wäre es ja besser, er wäre gestorben.«

»Warum denn? Er ist doch der Sohn eines angesehenen Rabbis?«

»Ha, denkst du! So angesehen ist der nicht mehr!«

»Wieso? Hat er gesündigt?«

»Sie haben sich der Sekte der Nazarener angeschlossen, der Sohn samt den Eltern. Darum hat wohl auch ihr Haus gebrannt.«

»Vermutet man Brandstiftung?«

»Ich weiß nichts Genaues. Aber in der Stadt spricht man von einem gewissen Nathanael, der sich verdächtig benommen habe. Aber er hat wohl nur getan, was sich andere heimlich gewünscht haben.«

Joel wickelte seinen Gebetsschal um sich, als würde er frieren. Dabei war es stickig heiß. Was er da vernommen hatte, tat weh. Er wollte es nicht glauben.

Nathanael! So gemein war er doch sicher nicht! Oder doch?

Damals bei der Kreuzigung waren sie einen Atemzug lang wie Brüder gewesen.

Das hatte allerdings nicht lange angehalten. Was hatte er Nathanael nur Böses getan?

War es wegen der Sache mit dem Öl?

Oder war es vielleicht wegen Ruth?

Ach, warum konnte er nicht aufhören, an sie zu denken? Er wusste sehr wohl, dass er nicht mehr hoffen konnte. Sein Gesicht war jetzt schlimmer entstellt als damals vom Aussatz. Zwar versicherte seine Mutter immer wieder, seine Haut werde sich erholen. Sie pflegte seine Narben unermüdlich mit einem Gemisch von Öl und Kräutern.

Und … war denn nicht Jesus noch genauso mächtig wie vorher? Joel hatte lange Zeit nicht mehr gebetet. Die Kraft dazu hatte gefehlt.

Nun aber merkte er, wie dringend er Hilfe brauchte.

»Bist du noch da, Herr?« So fing er zaghaft an.

»Ich war die ganze Zeit bei dir und werde dich nie verlassen!« Das war die Antwort, die er in sein Herz bekam.

O, wie gut tat es, die Stimme Jesu wieder zu vernehmen. In Joels Augen, die so düster und teilnahmslos geblickt hatten, kam langsam wieder ein Leuchten.

Wenn er auf dem Esel saß, streichelte er oft das treue Tier. Und er wusste, dass er nicht nur vom Esel getragen wurde, sondern auch von der starken Hand seines Herrn.

Ein herzliches Willkommen

Als sie endlich die Stadt erreichten, konnten sie das Haus der Verwandten nicht finden. Müde irrte Joels Familie durch die engen Gassen, die alle immer wieder zum Markt hinführten. Als ihnen der Duft von frisch gebackenem Fladenbrot in die Nase stieg, merkten sie erst, wie sehr sie Hunger hatten. Sie näherten sich der Frau, die das Brot anbot, und kauften davon.

Die Händlerin achtete gar nicht so sehr auf das Geld, das Joels Vater ihr gab. Ganz offen musterte sie Joels Gesicht, sodass er sich am liebsten versteckt hätte.

»Das hat ein schlimmes Feuer angerichtet«, stellte sie fest. »Ein Feuer des Feindes! Das Feuer des Herrn schadet nicht.«

»Was sagst du da?«, fragte überrascht der Vater. »Was heißt das, ›Feuer des Herrn‹?«

»Ihr habt wohl noch nie von Jesus von Nazareth gehört?«, fragte sie vorsichtig.

»Du meinst Jesus, den Gekreuzigten? Kennst du ihn?«

»Ich liebe ihn und folge ihm nach!«

Jetzt strahlten Joels Augen noch mehr. Nun waren sie am fremden Ort angekommen und merkten, dass es auch hier schon Nachfolger seines Herrn gab. Das gab ein freudiges Begrüßen, als sie sich als Glaubensgeschwister erkannten. Die Frau bestand darauf, die Familie als Gäste zu sich mit nach Hause zu nehmen. Sie begann sogleich, ihre Fladenbrote einzupacken.

»Das brauchen wir nun selbst«, sagte sie. »Mein Sohn wird glücklich sein, in dir einen neuen Freund zu bekommen. Kommt nun mit, ihr seid für uns ein Gottesgeschenk!«

Während die Frau ein Essen kochte und Joel sich immer noch darüber wunderte, wie der Herr für sie sorgte, kam der Sohn nach Hause. Er war daran gewöhnt, Gäste anzutreffen.

Als er Joel begrüßte, war er jedoch sichtbar überrascht.

Er suchte in Joels Gesicht und auch in seinem Gedächtnis nach gewissen Erinnerungen.

»Müssten wir uns nicht kennen?«, fragte er.

»Du bist doch Timon!«, rief Joel aus.

Anstatt einer Antwort fielen sie sich um den Hals, und nun waren sich alle sicher, dass nicht der Zufall, sondern Gott sie geführt hatte.

»Weißt du noch, damals bei Lazarus?«

»Ja, und weißt du noch, wie du die Botschaft von der Verhaftung des Herrn gebracht hast?«

»Ja, und die schlimmen Tage in Jerusalem!«

»Aber erst seine Auferstehung!«

So redeten sie durcheinander und vergaßen dabei fast das Essen.

Joel war fröhlich wie schon lange nicht mehr. Die beiden Jungen hätten wohl die ganze Nacht geredet, wenn die Frauen nicht so um sie besorgt gewesen wären. Sie bestanden darauf, dass Joel sich hinlegen müsse. Zum Reden sei am nächsten Tag wieder Gelegenheit. Jetzt werde geschlafen, Punkt!

Timon wurde wie ein Bruder für Joel. Das half mit, dass seine Genesung gute Fortschritte machte. Auch die Narbe an seiner Stirn sah schon viel besser aus, und da seine Haare inzwischen nachgewachsen waren, verdeckten sie einen großen Teil davon.

Mit der Zeit konnte er sich sogar nützlich machen und seiner Gastgeberin beim Geldverdienen helfen. Sie machte weiterhin Fladenbrote, und Joel setzte sich auf den Markt und verkaufte sie.

Mit Timon sprach Joel eines Tages über Nathanael.

»Wenn er wirklich der Brandstifter war, werde ich nie verstehen können, warum er das tat. Er muss doch Jesus ein wenig geliebt haben. Er hat wirklich geweint unter dem Kreuz, das habe ich gesehen.«

»Du hast wohl nicht gehört, wie Jesus die Geschichte vom Sämann erzählt hat?«

»Nein, ich konnte ihm nicht oft zuhören!«

»Er sagte, das Wort Gottes werde in die Herzen gesät wie Samen auf das Feld. Dabei falle einiges auf den Weg, wo die Vögel es wegpicken. Einiges falle auf felsigen Boden, wo der Same zwar schnell aufgeht, aber weil er nicht tief wurzeln kann, in der heißen Sonne schnell wieder verdorrt. Einiges werde auch von Disteln und Unkraut erstickt.«

»Was hat das mit Nathanael zu tun?«

»Auch in seinem Herzen hat einmal kurz etwas gekeimt. Ein wenig Liebe, vielleicht auch ein wenig Mitleid oder gar Bewunderung.«

»Ich fange an zu verstehen«, überlegte Joel. »Dann haben es die Vögel oder die Hitze oder das Unkraut wieder zerstört! Wer waren aber die Vögel? Und was ist das Unkraut?«

Timon überlegte. Dann meinte er: »Vielleicht Menschen, die schlecht über dich oder über Jesus gesprochen haben. Vielleicht hat er auch den Spott gefürchtet. Oder der Feind hat ihm üble Gedanken in den Kopf gesetzt. Es kann auch Neid oder Eifersucht, Groll und dergleichen sein!«

Eifersucht? War es das?

Ruth hatte ja ihm mehr Zuneigung gezeigt als Nathanael. Joel wickelte seinen Gebetsschal fest um sich. Damit verband er immer wieder seine Hoffnungen.

»Du scheinst sehr an diesem Schal zu hängen«, bemerkte Timon. »Das ist mir schon längst aufgefallen.«

Joel zögerte. Dann sagte er: »Das Mädchen, das ich liebe, hat ihn gewebt.«

»Aha!«

Mehr sagte Timon nicht. Er fragte nicht einmal nach ihrem Namen. Er war nämlich stark mit seinem eigenen Geheimnis beschäftigt, und das brachte für Joel, als er davon erfuhr, eine harte Prüfung.

Hochzeit - doch nicht für Joel!

Nach einiger Zeit fand Joels Vater ganz in der Nähe ein Haus und auch Arbeit bei einem Färber. Joel verkaufte weiterhin Fladenbrote. Dabei bewegte er ständig seine Finger. Die Narben an den Händen hatten ihn lange sehr behindert. Joel brauchte viel Fleiß und Geduld, bis er nur wieder eine Nadel halten konnte. Noch länger dauerte es, bis sich die Nadel wieder durch das Leder stoßen ließ. Aber er ließ nicht locker, bis er wieder Sandalen machen konnte.

Voller Stolz zeigte er seinem Freund das erste Paar.

»Das müssen wir feiern«, sagte Timon. »Ich habe nämlich auch eine Überraschung für dich.«

»O, da bin ich aber gespannt! Komm, lass mich nicht warten!«

»Weißt du«, begann Timon ganz feierlich, »nächsten Monat werden wir ein Fest haben. Keine ganze Woche, dazu sind wir nicht reich genug. Aber zwei Tage mindestens.«

»Das bedeutet, dass du deine Braut heimholen wirst!«

»Ja, und weil du mein bester Freund bist, möchte ich dich bitten, mein Begleiter zu sein, der sie mir zuführen wird!«

»O Timon! Das ist eine große Ehre für mich!«

»Ihre Familie lebt in Samaria. Sie werden uns den halben Weg entgegenkommen. Dort erwarten wir sie, und gemeinsam werden wir hierher kommen und Hochzeit feiern.«

»Was für eine schöne Nachricht!«, freute sich Joel. »Aber nun hast du mich neugierig gemacht. Wer ist eigentlich deine Braut?«

»Es ist die Tochter von Esra Ben-Achim. Er hat vor der Verfolgung in der gleichen Stadt gelebt wie du. Vielleicht kennst du ihn?«

Joel wurde kreideweiß. Sein Herzschlag schien einen Moment auszusetzen.

Esra Ben-Achim! Das war der Vater von Ruth.

Timon merkte nichts von der Not seines Freundes. Er fuhr fort zu erklären: »Mein Vater hat, bevor er starb, die Heirat in die Wege geleitet. Nun bin ich sehr gespannt auf meine Frau.«

»Hast du sie noch nie gesehen?«

»Nur, als wir noch Kinder waren.«

»Ich wünsche dir den Segen des Höchsten, und ich werde dein Begleiter sein.«

Das sagte Joel so ruhig wie möglich, dann verließ er Timon.

Es war ihm, als würde er vor einem Abgrund stehen.

Zuerst konnte er keinen klaren Gedanken fassen.

Ihn quälte die eine große Frage: War Ruth die Braut von Timon? Es gab nur einen Esra Ben-Achim in seinem ehemaligen Wohnort, und dieser hatte nur zwei Töchter. Die ältere Tochter aber war schon verheiratet. Es blieb also nur Ruth.

Aber Timon hatte gesagt, dass sie einander versprochen seien seit ihrer Kindheit.

Damals jedoch war Ruth noch Joel versprochen, bis zu dem Tag, wo der Aussatz an ihm festgestellt wurde.

Hatte Timons Vater in jener Zeit die Heirat vereinbart?

Ruth als Timons Frau! Und er, Joel, als Brautführer! Diese Vorstellung beschäftigte ihn Tag und Nacht. Ein nagender Schmerz bohrte in seinem Innern.

War das Eifersucht? Waren diese Gedanken die Vögel, welche den guten Samen in seinem Herzen wegpickten?

Joel versuchte ständig, sie zu verscheuchen, aber sie waren immer wieder da.

»Herr, hilf mir! Ich schaffe das nicht!« So betete er immerzu.

Da er nur noch wenig aß, sah man ihm den inneren Kampf nur zu bald auch äußerlich an. Seine Mutter machte sich Sorgen.

»So können wir dich unmöglich den langen Weg mit Timon gehen lassen«, meinte sie. »Dein Vater kann ihm sagen, dass er einen Vertreter für dich suchen soll!«

»Das darf er nicht tun!«, protestierte Joel. »Ich werde auf jeden Fall mitgehen, auch wenn ich mich tragen lassen müsste!«

Er blieb hartnäckig. Seine Mutter gab ihren Widerstand auf und nähte ihm ein Festkleid.

Die Gedanken in Joels Kopf drehten sich im Kreis. *Was wird, wenn ich es nicht ertrage, Ruth als Joels Braut zu sehen? Werde ich Kraft genug haben, mitzufeiern, ohne mir etwas anmerken zu lassen? Wäre es nicht doch besser, wenn ich weit weg bleiben würde? Aber nein! Ich muss wissen, woran ich bin.*

Timon war sein Freund. Doch er spürte, wie unsichtbare Vögel das Gute zwischen ihnen wegpicken wollten.

»Hilf mir, Herr!« Unzählige Male betete Joel dieses Stoßgebet.

Dann kam der große Tag. Joel fühlte sich schlecht. Sein Kopf schmerzte, und der Magen rebellierte.

Um seine Mutter nicht zu kränken, trank er etwas Ziegenmilch und aß ein Fladenbrot. Dass er danach wieder alles erbrach, brauchte sie ja nicht zu wissen.

Die Frauen hatten auch gar keine Zeit, mehr als nötig auf ihn zu achten. Sie waren viel zu beschäftigt mit den Vorbereitungen für das Fest – mit dem Wasserschöpfen und Kochen und Backen.

Joel schlüpfte in sein neues Gewand und füllte seinen Wasserschlauch. Dann ging er zu Timon.

Prächtig sah er aus, der Bräutigam! Und aufgeregt war er auch. Er redete die ganze Zeit und merkte nicht, wie schweigsam sein Freund war.

Unterwegs hatte er es so eilig, dass Joel ihn immer wieder erinnern musste: »Trinken und Rasten sind lebenswichtig! Du willst doch wohl nicht als halb toter Mann deiner Braut gegenübertreten!«

Als sie endlich am Ziel eintrafen, war Joel völlig erledigt. Im Hof einer freundlichen Familie, bei Verwandten der Braut, mussten sie warten. Sie wurden empfangen wie Fürsten. Man bot ihnen Getränke und Feigenkuchen an. Timon wurde ins Haus gebeten. Er durfte sich nämlich nicht zeigen, bevor ihm die Braut zugeführt werden sollte. Joel setzte sich in den Schatten einer Zypresse und versuchte sich auszuruhen. Sein Kopf schmerzte. Er konnte weder denken noch beten. Ein eigenartiges Gefühl erfasste ihn. Vielleicht war es die Müdigkeit, vielleicht auch die Hitze.

Komme, was da wolle, mir ist alles egal! Das versuchte er sich einzureden. Das war seine Schutzmauer, aber sie war sehr brüchig.

Sein Herz setzte fast aus, als er die Kinder des Hauses rufen hörte: »Sie kommen, sie kommen!«

Noch waren sie weit weg, aber man sah sie gut, die kleine Karawane, die sich näherte.

Joel erhob sich. Er musste seines Amtes walten. Er ging hinein zu Timon.

»Mach dich bereit, sie sind gleich da!«, sagte er mit trockener Kehle.

Draußen wurde es lebendig. Man hörte das Trillern der Frauen, das Singen der Kinder.

Fleißige Frauen boten Getränke an und füllten die Krüge immer wieder neu.

Joel hatte unterdessen eine Art Trotz in seinem Herzen aufgebaut.

Bringen wir die Sache hinter uns, dachte er. *Warum dauert das nur so lange?*

Auch Timon war nervös und ging in dem kleinen Raum hin und her.

»Setz dich!«, herrschte Joel ihn an. »Du machst mich ganz krank!«

Timon war sehr erstaunt über den harten Ton. Das kannte er nicht an Joel. Aber er setzte sich gehorsam, wie ein kleines Kind.

Endlich wurde es draußen still. Jemand kam und sagte: »Es ist so weit!«

Die beiden Freunde sprangen auf.

»Halt!«, befahl Joel. Er stellte sich vor seinen Freund und musterte ihn von Kopf bis Fuß. Er strich da und dort eine Falte des Kleides zurecht, ordnete die Kopfbedeckung und rückte den Schmuck zurecht.

»Lass nun!«, protestierte Timon endlich. »Du bist ja schlimmer als meine Mutter!«

Joel ergriff die Hand des Bräutigams und führte ihn hinaus.

Die grelle Sonne ließ ihn blinzeln. Auch Timon kniff die Augen zu.

Da standen sie alle schön geordnet.

Die Braut in ihrem Brautschmuck, das Gesicht von einem Schleier verborgen, an der Hand des Vaters. Sie war umgeben von ihren Brautjungfern.

Jemand gab Joel einen kleinen Stoß in den Rücken und flüsterte: »Nun musst du sie holen!«

Er setzte sich in Bewegung und fasste behutsam nach der Hand der Braut, die ihm von Esra Ben-Achim übergeben wurde.

Die Hand von Ruth, schoss es ihm durch den Kopf. Er gab sich einen Ruck, fasste sie fester und führte sie feierlich mit langsamen Schritten dem Bräutigam zu. Sorgsam legte er die kleine Hand der Braut in die große Hand von Timon.

Nun erhob sich ein Trillern und Rufen, Singen und Jubeln. Joel zog sich unter seine Zypresse zurück. Er war zufrieden. Er hatte seine Sache gut gemacht. Nun war es vorbei!

Da schlich sich ein verwirrender Gedanke in sein Herz und ließ sich nicht mehr vertreiben. Immer wieder dachte er an die kleine Hand, die er gehalten hatte. Ihm war, als könne er sie noch spüren. Dann sah er vor sich die Hand von Ruth, wie sie damals seine Lampen gehalten und befühlt hatte. Täuschte ihn etwa sein Gedächtnis?

Er meinte, die langen, schlanken Finger von Ruth noch vor sich zu sehen.

Man ließ ihn nicht allzu lange rätseln. Es sei höchste Zeit aufzubrechen, mahnte jemand. Die verschleierte Braut wurde auf einen Esel gesetzt, den Timon führen durfte. Joel sollte dem Zug, der sich hinter dem Paar aufstellte, vorangehen.

Diesmal waren auch Frauen und Kinder dabei. Darum ging man langsamer, sodass Joel gut durchhielt. Ab und zu warf er einen Blick zurück und prüfte, ob alle folgen konnten.

Da war ihm plötzlich, als hätte er Ruth gesehen. Wieder und wieder drehte er sich um. Fast wäre er rückwärtsgegangen. Einmal meinte er, dass er sie sah, dann war er sich wieder unsicher. Die Ungewissheit brachte ihn fast um.

Er war sehr froh, dass bald darauf jemand vorschlug, beim nächsten Haus kurz zu rasten und den Esel zu tränken.

Die Braut wurde dort gleich ins Haus gebeten. Den Durstigen brachte man Wasser.

Joel umkreiste die Schar wie ein Hund die Herde, aber er fand Ruth nicht. Beim Weitergehen war sie aber doch da, wieder mitten in der Schar der Gäste. Joel zumindest glaubte das. Aber je heißer ihm wurde, umso mehr dachte er, dass er wohl Fieber hatte und darum etwas sah, was es gar nicht gab.

Endlich näherten sie sich dem Haus von Timon. Eine große Schar erwartete sie dort, und im Tumult des Wiedersehens und Grüßens merkte Joel, dass er am Ende seiner Kräfte war. Er fühlte sich schwindlig und machte sich unbemerkt davon.

Im Haus legte er sich erschöpft auf sein Lager. Nun war er allein.

Eine Welle von Eifersucht überwältigte ihn. Wie sollte er seinem Freund weiterhin begegnen können, wenn wirklich Ruth die Braut war? Und das war sie doch wohl. Er hatte keinen Beweis für das Gegenteil gefunden.

Joel merkte, wie seine Augen sich mit Tränen füllten, aber das war ihm egal. Es sah ihn ja niemand.

Wirklich niemand?

»Ich bin bei euch alle Tage!«

Da waren sie wieder, die Worte von Jesus, im Herzen von Joel – mit einem großen Trost. Wenn Jesus bei ihm war und immer bei ihm blieb, dann würde er auch dieser schweren Herausforderung begegnen können. Dann würde passieren, was letzten Endes richtig und gut für sie alle war: Er wollte Jesus vertrauen. Langsam zog wieder Frieden in sein Herz – und neue Kraft.

Er erhob sich, wusch sein Gesicht und ging zurück an seinen Platz neben seinem Freund.

Essen wurde aufgetragen. Es gab Wein und Granatapfelsaft zu trinken. Es wurde gesungen, und die Mädchen tanzten.

Plötzlich entdeckte Joel unter den tanzenden Mädchen eines mit einem blauen Kleid.

Joel rieb sich die Augen, kniff sich in die Arme, befühlte seine Stirn.

Nein, es war kein Fiebertraum. Da tanzte wirklich Ruth!

Und unter dem Baldachin saß Timons Braut.

Als Ruth sich kurze Zeit später im Schatten etwas ausruhte, hielt Joel es nicht mehr aus. Er setzte sich neben sie, obwohl sich das eigentlich nicht gehörte.

»Ich dachte, du wärst die Braut!«, begann er etwas verlegen.

»Ich? Warum ich? Die Braut ist Tirza!«

»Man sagte aber, Timon würde die Tochter von Esra Ben-Achim heiraten, und das bist doch du?«

»Ach so!«, sagte Ruth und musterte Joel verstohlen. Er sah nicht, wie sie lächelte, denn er wagte nicht, sie anzusehen. Dann erklärte sie: »Tirza ist meine Cousine. Ihr Vater ist früh gestorben. Darum hat mein Vater für sie die Verantwortung übernommen. Tirza ist die Tochter seiner Schwester, und mein Vater gilt darum auch als ihr Vater.«

»Ach so!« Mehr konnte Joel nicht sagen, aber man konnte fast den Stein von seinem Herzen purzeln hören.

Ruth erhob sich. Sie durften nicht länger so nebeneinandersitzen.

Bevor sie jedoch zu den anderen ging, sagte sie noch etwas Wunderschönes. Etwas, was sich in den Ohren von Joel wie wunderbare Musik anhörte: »Wirst du bald mit meinem Vater sprechen?«

»Das werde ich! Das werde ich tun, sobald es geht!«

Joel blieb allein zurück.

Allein – und doch nicht allein!

Helen Santos

Kalebs Lamm

112 Seiten, Taschenbuch
ISBN 978-3-87982-283-6 (BLB)
ISBN 978-3-89397-570-9 (CLV)

»Kaleb spürte den wilden Herzschlag des Lammes gegen seine eigene Brust. Es musste schreckliche Angst haben. ›Ruhig! Ganz ruhig!‹, murmelte er. Er streichelte den kleinen Körper mit seinen zerkratzten und wunden Händen und versuchte, das verängstigte Tier zu beruhigen. Das Lamm hörte auf, sich zu wehren. Vielleicht erinnerten Kalebs Hände es an die ersten schönen Augenblicke seines Lebens, als seine Mutter es mit der Nase betastet, es abgeleckt und seinen Körper gewärmt hatte.« So beginnt ein ganz neues Kapitel im Leben des Hirtenjungen Kaleb, der bisher die Schafe aus tiefstem Herzen gehasst hat. Das Lamm, das er vor dem sicheren Tod rettet, gewinnt seine Liebe und verwandelt ihn von Grund auf. Und eines Tages rettet es ihm das Leben …
Für Jungen und Mädchen ab 10 Jahren